COLLECTION
LECTURE FACILE

PORTRAITS

ALBERT CAMUS

MADELEINE WADDINGTON

Collection dirigée par
ISABELLE JAN

92170 Vanves

Crédits photographiques : p. 9, Bibl. nat., Estampes ; p. 10, © ND-Viollet ; p. 15, haut : Bibl. nat., Estampes, milieu : © Archives Albert Camus/IMEC, bas : Bibl. nat., Estampes ; p. 23, Bibl. nat., Estampes ; p. 29, © Archives Albert Camus/IMEC ; p. 31, © Archives Albert Camus/IMEC ; p. 35, haut : © Archives Albert Camus/IMEC, bas : © coll. Viollet ; p. 37, Bibl. nat., Estampes ; p. 41, Archives Albert Camus/IMEC ; p. 48, © René Saint-Paul/Tallandier ; p. 51, © René-Saint-Paul/Bibl. nat., Estampes ; p. 58, Bibl. nat., Estampes ; p. 61, © Bernand ; p. 64, haut : © Archives Albert Camus/IMEC, bas : Bernand ; p. 71, haut : © Keystone, bas : Bibl. nat., Estampes ; p. 73, haut : © CAP-Viollet, bas : © Archives Albert Camus/IMEC.

Couverture : Agata Miziewicz ; photo : © René Saint-Paul.

Conception graphique : Agata Miziewicz.

Composition et maquette : Joseph Dorly éditions.

Iconographie : Any-Claude Medioni

ISBN : 2-01-155002-5

Sommaire

NOTE : les mots accompagnés d'un * dans le texte sont expliqués dans « Mots et expressions », en page 75.

Repères

Albert Camus est né à Mondovi, en Algérie, en 1913. Il est mort près de Villeblevin, en France, en 1960. Journaliste, écrivain, dramaturge*, il approfondit sa réflexion sur l'homme à travers une œuvre exigeante et généreuse (il faut citer *l'Envers* et *l'Endroit*, *Noces*, *l'Étranger*, *la Peste*, *l'Homme révolté*, *l'Exil et le Royaume...*) qui lui vaudra le prix Nobel de littérature, en 1957.

« Aujourd'hui, maman est morte. Ou peut-être hier, je ne sais pas... » Avec ces premières lignes de *l'Étranger*, l'écrivain Albert Camus entrait dans l'art des hommes. Pour les jeunes qui ont lu *l'Étranger* à sa sortie et pour ceux de la génération actuelle qui continuent de le découvrir, Albert Camus est un mythe *. Certains êtres sont ainsi. Nous avons besoin de leurs mots pour vivre.

Camus a été témoin de toutes les folies du XXe siècle. Il a vécu deux guerres mondiales et il est mort alors que la France se battait encore contre son pays natal, l'Algérie.

Né en 1913, il a été élevé pendant la Première Guerre mondiale, celle qui entraîna la première crise de l'esprit pour les Européens. Il a grandi avec des maîtres qui savaient que leur civilisation pouvait mourir. Contre le nazisme et le fascisme * des années trente, Camus avait choisi le camp des humanistes. Toute sa vie, il a voulu témoigner au nom de l'homme. Ce n'était pas un penseur autoritaire. Il évoluait. On l'a lié au mouvement existentialiste * français car il fut, un moment, l'ami de Jean-Paul Sartre et de Simone de Beauvoir. Mais il s'est éloigné d'eux, comme il s'est éloigné de tout ce qui faisait passer un système politique ou philosophique avant la vie d'un homme. On dira plus tard qu'il a été « la conscience de sa génération ».

... /...

.../...

On le découvre aussi amoureux de la vie. Il aimait rire, danser, nager. Il aimait vivre avec d'autres, partager leur travail, leurs plaisanteries. Il aimait, au-delà de tous les désespoirs, le monde où il vivait.

On lit et on admire Camus, aujourd'hui, tout autant que pendant ses heures de gloire du prix Nobel de littérature en 1957. Son actualité tient sans doute au fait qu'il pose les vraies questions que se posent les êtres humains à chaque génération. Et il les pose avec cette tendresse pour l'autre qui nous touche. Et il n'y répond pas, parce que personne ne sait y répondre.

Au printemps 1994, un roman* de Camus est paru, près de trente-cinq ans après sa mort. C'est un roman sur lequel il n'avait pas fini de travailler. Il pensait que ce serait un de ses plus grands livres. Son titre ? *le Premier Homme*...

Citations

De nombreux extraits tirés des œuvres ou des écrits d'Albert Camus figurent dans ce livre. On a distingué ci-dessous, par ordre alphabétique, l'œuvre d'origine, suivie des pages de cet ouvrage qui en reproduisent des extraits.

Actuelles I, Chroniques 1944-1948, Gallimard, 1950 : p. **51** - *Actuelles I*, Ni victimes, ni bourreaux, Gallimard, 1950 : p. **54** - *Carnets I*, Gallimard, 1962 : pp. **18, 20, 27, 28, 36, 39** - *Correspondance*, 1932-1960, Albert Camus, Jean Grenier, Gallimard, 1981 : p. **20** - *L'Envers et l'Endroit*, Gallimard, 1958 : pp. **11, 12, 21, 24** - *Essais*, Gallimard, 1965, p. **54** - *L'Étranger*, Gallimard, 1942 : p. **42** - *Journal inédit*, cité dans la Pléiade, Gallimard, 1965 : p. **61** - *Lettres à un ami allemand*, Gallimard, 1945 : p. **45** - *Le Mythe de Sisyphe*, Gallimard, 1942 : p. **43** - *Noces*, Gallimard, 1938 : p. **24** - *La Peste*, Gallimard, 1942 : p. **56** - *Le Premier Homme*, Gallimard, 1994 : p. **14** - *Rencontres avec André Gide*, N.R.F., mars 1951 : p. **18** « Je venais d'apprendre... ».

CHAPITRE 1
MÉDITERRANÉEN*

L'enfant saute dans les vagues en criant de joie. Au sortir de l'eau, le sable sec lui brûle les pieds. Le soleil est aveuglant[1]. L'eau brille sur son corps bruni. Il rejoint les autres garçons qui se rhabillent. Ils remontent dans « la chaleur énorme » vers la ville où « le blanc des maisons se fait plus aveuglant ». On décide d'une partie de football pour ce soir. Albert, qui n'est pas très fort, sera gardien de but comme d'habitude.

Il s'appelle Albert Camus. Il grandit là, avec la mer, sous le ciel bleu dur d'Alger*. C'est là qu'il prend le goût du bonheur et apprend que « le monde est beau ».

Les origines

Albert est orphelin[2]. Son père, Lucien Camus, a été tué à la guerre de 1914, en France. À la maison, sa mère lui a raconté l'histoire : blessé à la tête par un obus*, il est resté dans un hôpital pendant une semaine, le crâne[3] ouvert, puis il est mort. Il est enterré au cimetière de Saint-Brieuc, en France. Albert avait alors un an ; son frère aîné, qui s'appelle aussi Lucien, avait quatre ans.

Les Camus font partie des colons* pauvres d'Algérie*. Claude Camus, l'arrière-grand-père, venait de Bordeaux. Il fut parmi les premiers Français à s'installer en Algérie, vers 1830. Lui et sa femme vivent près d'Alger, dans un village agricole. La vie est dure, pas du tout celle dont ils avaient rêvé depuis la France. Les musulmans* n'ont toujours pas accepté les Français, et la pacification* n'est pas terminée.

---

1. Aveuglant : qui empêche de voir.
2. Orphelin : enfant dont le père ou la mère est mort.
3. Crâne : boîte osseuse de la tête.

Leur fils Baptiste, le grand-père, sera cultivateur comme eux. Quand il se marie, il ne peut pas signer son nom : il ne sait ni lire ni écrire, on ne l'a pas envoyé à l'école, il y en a peu dans la colonie*. Il meurt un an après la naissance de son fils Lucien et sa femme peu après.

Les frères et sœurs de Lucien envoient celui-ci vivre dans un orphelinat. En âge de travailler, il devient cocher[1]. Il a appris à lire et à écrire. En 1909, il épouse Catherine Sintès. Ils habitent alors Belcourt, le quartier européen pauvre d'Alger. Leur premier fils, Lucien, y naît en 1910.

En 1913, ils déménagent. Lucien Camus travaille sur la propriété d'un marchand de vins d'Alger. À cette époque, l'Algérie devient une grande région vinicole. Depuis la pacification, l'Algérie est devenue un pays de peuplement pour les Français. Les colons les plus riches achètent des terres aux musulmans et transforment le pays en vastes domaines. On enlève les cultures traditionnelles pour les remplacer par la vigne. Les colons plus pauvres et les musulmans travaillent pour les nouveaux propriétaires.

Les Camus habitent à Mondovi, près de Bône. C'est là que naît Albert Camus, le 7 novembre 1913. L'année suivante, la France entre en guerre contre l'Allemagne.

Lucien Camus a fait son service militaire dans les Zouaves*. C'est un régiment* à l'uniforme* coloré, avec un pantalon bouffant[2] et une chéchia* qui montre son origine nord-africaine. En août 1914, Lucien rejoint son régiment qui part pour la France. Sa femme et ses enfants sont déjà retournés à Alger. Ils vivent dans l'appartement de la grand-mère maternelle, Catherine Sintès, à Belcourt.

Quand elle apprend la mort de son mari et qu'elle ouvre un paquet envoyé par l'armée qui contient des petits morceaux d'obus qu'on a retiré de sa tête, la mère

---

1. Cocher : l'homme qui conduit les chevaux.
2. Bouffant : large au milieu ; qui gonfle.

Lucien Camus, le père d'Albert Camus, dans son uniforme de Zouave.

d'Albert Camus a une crise nerveuse. La croix de guerre* et la médaille militaire* de Lucien Camus sont exposées dans l'appartement. Ainsi Albert Camus grandit sans père. Quelquefois il demande : « C'est vrai que je ressemble à mon père ? » ; et sa mère est heureuse de pouvoir lui répondre oui.

« La noblesse des miens »

La famille de la grand-mère est assez originale. Les Sintès sont eux aussi descendants des premiers colons pauvres. Ils viennent d'Espagne. « La noblesse [1] des miens », a écrit Albert Camus à propos de sa famille.

---

1. Noblesse : grandeur, dignité.

La grand-mère Sintès a eu neuf enfants. Sa fille Catherine a été une petite fille un peu fragile[1]. Un de ses fils, Étienne, habite avec sa sœur et partage la vie des enfants Camus. Il est tonnelier[2]. Le jeudi, quand il n'y a pas d'école, Albert et son frère sont souvent dans son atelier[3]. Les soirs d'été, il emmène Albert nager. Il le porte sur son dos et va vers l'eau profonde jusqu'à ce que la peur de l'enfant l'oblige à rentrer. Ils ont des plaisirs d'hommes : l'oncle l'emmène à la chasse avec ses copains.

À la maison, la vie n'est pas toujours facile, car la grand-mère est dure. Mais la pauvreté, les disputes et les coups pour faire obéir les garçons sont des choses habituelles dans le quartier de Belcourt.

Bien sûr, Albert Camus a été marqué par son enfance, et certains aspects de son œuvre* s'expliquent par ses

Alger la Blanche, face à la Méditerranée.

1. Fragile : pas très forte.
2. Tonnelier : ouvrier qui fabrique des tonneaux pour mettre le vin.
3. Atelier : endroit où l'on travaille.

origines. Dans *l'Envers et l'Endroit* on retrouve sa famille. Parfois la vision qu'en garde l'écrivain a été idéalisée [1], parfois on devine qu'il ressent encore de l'amertume [2].

Enfant, Albert n'aimait pas sa grand-mère. C'est un petit garçon intelligent et sensible [3] qui sait très bien juger les adultes qui l'entourent. Quand on lui demande : « Qui préfères-tu, ta mère ou ta grand-mère ? » l'enfant sait qu'il doit répondre : « "Ma grand-mère", avec, dans son cœur, un grand élan [4] d'amour pour cette mère qui se taisait toujours » *(l'Envers et l'Endroit)*.

Avec le recul du temps, Albert Camus expliquera le comportement de sa grand-mère. Elle avait eu neuf enfants et, après la mort de son mari, elle les avait protégés de la misère. Le sentiment d'avoir fait son devoir l'avait durcie. Quand elle meurt, son petit-fils s'étonne de ne pas avoir de chagrin. « Le jour de l'enterrement seulement, à cause de l'explosion générale des larmes, il pleura, mais avec la crainte de ne pas être sincère et de mentir devant la mort » *(l'Envers et l'Endroit)*.

Après la mort de la grand-mère ils ne sont plus que quatre : les deux garçons, leur mère et son frère Étienne Sintès. On est heureux. L'oncle Étienne, le tonnelier, a de brusques colères, mais c'est un ouvrier qui sait travailler. Il parle avec difficulté lui aussi, depuis l'enfance. Il se souviendra plus tard : « Albert avait toujours ce qu'il voulait dans la mesure de nos moyens. »

Étienne sait se faire obéir. Ainsi il interdit à sa sœur de voir un homme qu'elle aimait. Un jour, la trouvant à la maison avec son ami, il y a une belle bagarre. Mais cela se passe en 1930, Camus ne vit déjà plus avec sa famille ; sa mère vient le voir pour lui raconter la scène en pleurant.

---

1. Idéalisée : rendue plus belle.
2. Amertume : mécontentement, déception.
3. Sensible : qui a des émotions vives.
4. Élan : ici, sentiment.

Il faut parler de Catherine Camus, de cette mère timide et silencieuse qui ne les caressait[1] jamais : « elle ne saurait pas ». Peureuse devant sa mère, elle intervient quand la grand-mère les frappe trop fort : « Ne frappe pas sur la tête. » Elle fait des ménages[2] et donne à sa mère l'argent qu'elle gagne. Elle ne sait ni lire ni écrire, mais elle a appris à signer son nom. C'est un être de silence. Elle « pensait difficilement ». Elle est isolée dans une demi-surdité[3] et a des difficultés pour parler. Parfois, en rentrant de l'école, Albert la trouve assise seule dans l'obscurité et il a peur : « Il a mal à pleurer devant ce silence animal... il reste alors de longues minutes à la regarder. À se sentir étranger... » *(l'Envers et l'Endroit)*.

BELCOURT

Jusqu'à l'âge de dix-sept ans, Albert Camus habite avec sa famille au 93 de la rue de Lyon, la rue principale du quartier de Belcourt. L'appartement occupe la moitié d'une maison à un étage où les escaliers ne sont pas éclairés. L'écrivain se souvient : « Son corps même est imprégné[4] de cette maison. Ses jambes conservent en elles la mesure exacte de la hauteur des marches » *(l'Envers et l'Endroit)*. Et la rampe[5] lui fait toujours horreur à cause des cafards[6].

Le soir, après l'école, il fait ses devoirs sur la toile cirée[7] de la table de la cuisine éclairée par une lampe à pétrole. Tous les enfants du quartier vivent ainsi. Belcourt, c'est le quartier européen populaire, celui des petits colons, et où commencent à s'installer des Arabes*. À l'école communale, il n'y a pas beaucoup de noms d'origine

---

1. Caresser : avoir un geste tendre.
2. Faire des ménages : nettoyer la maison des autres.
3. Surdité : disparition de la possibilité d'entendre.
4. Imprégné : plein de.
5. Rampe : barre de bois qui suit l'escalier et qui sert à se tenir.
6. Cafards : insectes.
7. Toile cirée : tissu que l'on peut laver et essuyer.

française, mais plutôt d'origines espagnole, italienne et arabe.

À Alger tout être jeune est heureux. La pauvreté ne veut rien dire. Pour tous il y a la mer, le soleil, les jeux, la rue, le cinéma, la danse, la beauté des corps bruns. Les soirs d'été, le bonheur est à chacun ; il suffit de mettre une chaise sur le trottoir et de regarder le ciel dans la fraîcheur qui tombe. « Soirs fugitifs[1] d'Alger... Cette douceur qu'ils me laissent aux lèvres... » *(l'Été à Alger)*.

Les plaisirs d'Albert sont ceux d'un petit garçon imaginatif et vif. Quand une tante lui donne un peu d'argent, il achète un journal pour enfants - *l'Intrépide* -, ou il va au cinéma, muet bien sûr : cela pour l'imagination. Pour la vivacité, il y a le football, le lancer de cailloux sur les palmiers[2] à fruits du parc, les relations avec les chats et les chiens du quartier.

Pour les chats, le jeu est de refermer sur eux les couvercles des poubelles[3]. Quant aux chiens, il faut crier bien fort pour qu'ils se sauvent quand l'attrapeur de chiens descend la rue.

« LA PUISSANTE POÉSIE DE L'ÉCOLE »

L'école, pour un petit garçon intelligent, c'est le bonheur : on y découvre les livres et on y joue au football. D'abord, Albert lit des livres d'aventures empruntés[4] à la bibliothèque. Il lit les aventures de Pardaillan, *les Trois Mousquetaires* d'Alexandre Dumas, *l'Île mystérieuse* de Jules Verne, mais c'est le personnage de Robin des Bois qui l'impressionne le plus.

Albert est le meilleur de sa classe en rédaction et en récitation. Mais ses vraies passions sont la mer et le foot.

---

1. Fugitifs : ici, courts.
2. Palmiers : arbres des pays chauds.
3. Poubelles : récipients où l'on met les saletés.
4. Emprunter : prendre sans payer, à condition de rendre.

À dix ans, il entre dans la classe de M. Germain et va échapper à son destin[1] de petit Algérois* pauvre. Il n'est pas le seul orphelin de la classe, bien d'autres garçons ont perdu leur père à la guerre. M. Germain, qui lui aussi a fait la guerre, se sent particulièrement responsable d'eux. Il veut un peu remplacer ces pères morts. Il lit à la classe *les Croix de bois* de Dorgelès. C'est un roman sur la guerre, la vie des tranchées*.

Et les petits Algériens* apprennent un peu ce qu'ont vécu leurs pères dans cette France exotique[2] où il neige.

Un jour, l'instituteur raccompagne Albert jusque chez lui. Il veut persuader la famille que le garçon doit entrer au lycée. Il devra préparer l'examen pour avoir une bourse[3]. La grand-mère refuse d'abord : dans sa famille on travaille. Mais l'instituteur sait trouver les mots qu'il faut, alors elle finit par accepter. Dans le dernier roman ébauché[4] de Camus, *le Premier Homme*, on peut lire cette scène. Elle est romancée*, mais les sentiments de l'enfant y sont présents. On voit la grand-mère, après le départ de l'instituteur, venir chercher l'enfant qu'on avait envoyé jouer dans la rue. Elle le prend par la main pour remonter à l'appartement, « et pour la première fois elle lui serrait la main, très fort, avec une sorte de tendresse désespérée. "Mon petit, disait-elle, mon petit" ».

M. Germain fait travailler ses candidats boursiers après la classe. Albert sera reçu et ne sera plus à la charge de sa famille. En France, ou ici en Algérie, un enfant pauvre, s'il est intelligent, peut continuer ses études. Généralement, il devient enseignant[5]. Il est convenu avec la famille qu'Albert sera instituteur.

---

1. Destin : avenir.
2. Exotique : étrangère.
3. Bourse : aide financière du gouvernement pour les bons élèves.
4. Ébauché : qui n'est pas terminé.
5. Enseignant : professeur ou instituteur.

Le petit Albert, à l'âge de cinq ans, dans l'atelier de son oncle.

Louis Germain, l'instituteur qui a changé le destin du jeune Camus.

Dans l'équipe de football du RUA (devant, avec sa casquette).

CHAPITRE 2

« IL ME FAUT TÉMOIGNER »

AU LYCÉE

Chaque matin, Albert et son camarade, boursier lui aussi, prennent le tram[1] depuis Belcourt jusqu'au Grand Lycée. Ils vont dans le quartier français riche en passant par le centre arabe d'Alger. C'est un voyage plutôt coloré, surtout quand on traverse la Casbah*. Albert entre en classe de sixième A, où français et latin sont les matières principales. Il ne brille pas trop, sauf en français : il a eu un bon instituteur.

Si à Belcourt il se sentait comme tous les copains, au lycée, c'est un pauvre. Lorsqu'il doit donner la profession de sa mère, il écrit avec honte « domestique[2] ». Et il a honte d'avoir eu honte.

À la récréation il est bien accepté car il aime jouer au football. Bientôt il fait partie de l'équipe du RUA, l'équipe de football de l'université ; il est gardien de but. Vingt-cinq ans plus tard il écrit : « Ce que finalement je sais de plus sûr sur la morale et les obligations des hommes, c'est au sport que je le dois, c'est au RUA que je l'ai appris. »

« JE VAIS ÉCRIRE »

En 1930, deux événements vont à nouveau influencer l'avenir de Camus. Tout d'abord son entrée en classe de philosophie. Son professeur, Jean Grenier, est un

1. Tram(way) : moyen de transport en ville ; sorte d'autobus sur des rails.
2. Domestique : servante ; personne qui sert dans une maison.

écrivain qui se rappelle leur première rencontre : « Était-ce parce qu'il avait l'air naturellement indiscipliné [1], je lui avais dit de se mettre au premier rang pour l'avoir mieux sous les yeux. »

Un jour, l'élève est absent, il est malade. Jean Grenier, accompagné d'un camarade d'Albert, va le voir chez lui. Intimidé, le jeune homme lui parle à peine. Plus tard ils deviendront amis.

La maladie est très grave ; elle est souvent mortelle : Camus a la tuberculose. Elle l'empêchera de devenir enseignant car il sera refusé à l'examen médical d'entrée. Il sera également réformé [2] et ne fera pas son service militaire. En revanche, sa maladie a pour conséquence immédiate de lui faire quitter Belcourt. Il va vivre un temps chez son oncle boucher : les biftecks sont bons pour les malades, et de plus l'oncle habite une maison claire dans un bon quartier d'Alger, sur les hauteurs.

L'oncle boucher s'appelle Gustave Acault. C'est un original qui préfère les livres à la viande. Voyant le goût d'Albert pour la lecture, il lui donne *les Nourritures terrestres* d'André Gide.

La maladie a d'autres conséquences pour Camus. Il a approché la mort et en gardera « une légère distance à l'égard [3] des intérêts humains ». Pour guérir, il lui faut se discipliner ; il se découvre de la volonté. Il doit arrêter le football qui, jusqu'à présent, avait été la grande occupation de ses temps libres. Tout au long de sa vie, la maladie reste présente ; en temps de crise, il doit cesser toute autre activité et se soigner.

Cette année-là il redouble sa classe de philosophie et passe son temps à lire. Jean Grenier devient alors sa deuxième chance. Le professeur a publié *les Îles*, que ses

---

1. Indiscipliné : qui n'obéit pas.
2. Réformé : refusé au service militaire pour raison de santé.
3. À l'égard : devant.

élèves lisent, bien sûr. Ce sont des récits* du monde méditerranéen. Jean Grenier en chante la beauté et le bonheur d'y vivre. Ses élèves découvrent dans ce livre leur propre culture méditerranéenne. Puis il fait lire à Camus *la Douleur*, d'André de Richaud. Le jeune homme s'y plonge[1] avec passion. C'est aussi un livre méditerranéen. « Je venais d'apprendre que les livres ne versaient pas seulement l'oubli et la distraction. Mes silences têtus[2], ces souffrances vagues et souveraines, le monde singulier, la noblesse des miens, leurs misères, mes secrets enfin, tout cela pouvait donc se dire ! » À son ami Jean-Claude Brisville, il déclare plus tard : « J'ai eu envie d'être écrivain vers dix-sept ans, et en même temps, j'ai su obscurément que je le serais. » Dans ses *Carnets* on trouve : « [...] Je sais maintenant que je vais écrire... Il me faut témoigner... je ne dirai pas autre chose que mon amour de vivre. Mais je le dirai à ma façon... c'est de mes bonheurs que sortiront mes écrits. Même dans ce qu'ils auront de cruel[3]. »

En fait, à partir de ses dernières années de lycée, Camus participe à la vie intellectuelle d'Alger. Jean Grenier prête des livres à ses élèves et Camus finit par avoir la culture d'un étudiant bourgeois. Il lit aussi de la littérature contemporaine et, en partie grâce à son professeur, connaît les livres qui sortent à Paris.

Parmi les livres qui ont marqué le jeune Camus, il y a d'abord les classiques de la littérature française : *la Princesse de Clèves, les Liaisons dangereuses, le Rouge et le Noir, la Chartreuse de Parme, Adolphe*. Puis il lit les auteurs étrangers : Dostoïevski, Hemingway, Cervantès, Dante, Nietzsche, Joyce. Parmi les modernes, il admire Proust, Malraux, et surtout Gide. Il travaille sur Plotin et saint Augustin, réfléchissant sur les rapports des philosophies grecques et chrétiennes.

---

1. Plonger : ici, entrer dans un texte, dans un livre.
2. Têtu : décidé, obstiné, qui ne change pas d'avis.
3. Cruel : dur, qui fait souffrir.

SIMONE

À dix-neuf ans, Camus entre à l'université d'Alger. Il suit des cours de philosophie. Il a rencontré une fille splendide, Simone Hié. Elle est d'un milieu aisé[1] et se conduit en fille libre. La mère encourage leur mariage. Gustave Acault n'aime pas cette influence sur Camus qui quitte alors la maison de son oncle pour vivre un temps chez son frère, puis loue une petite chambre d'étudiant.

Il se marie le 16 juin 1934. La mère de Simone les aide financièrement. L'oncle Acault s'adoucit au point de leur offrir une voiture. Camus semble alors mener plusieurs vies : il est étudiant, il a un cercle d'amis intellectuels, il a Simone et il écrit. Il publie* ses premiers articles dans des magazines algérois.

On l'appelle Camus et il préfère qu'on le vouvoie[2]. Peu d'amis fréquentent la maison du jeune couple. Il écrit quelques contes* dédiés à sa femme, mais on ne trouve pas trace de Simone dans son œuvre. Alors que son enfance est la source de ses écrits, il reste silencieux sur sa femme.

C'est un jeune homme séduisant[3], toujours bien coiffé et habillé avec une certaine recherche. Il parle bien. À l'université, quand il fait un exposé, les professeurs sont frappés par l'élégance de sa langue. Le petit garçon de Belcourt ne se devine plus sous Camus.

En été 1935, Simone va se reposer aux Baléares. Camus la rejoint. C'est son premier voyage hors d'Algérie. Il servira de matière à un des récits de *l'Envers et l'Endroit*. Il y parle de la peur que donnent les voyages qui nous privent de nos habitudes quotidiennes et de nos masques. Il dit le sens que prend alors la lecture d'un journal dans notre langue qui nous fait « mimer[4] l'homme que nous étions chez nous, et qui, à distance, nous paraît si étranger ».

---

1. Aisé : riche.
2. Vouvoyer : dire *vous* au lieu de *tu*.
3. Séduisant : qui plaît.
4. Mimer : faire les gestes de quelqu'un ; imiter.

« Chercher les contacts »

Camus note dans ses *Carnets*, qui sont une sorte de journal d'écrivain où il parle de ses projets, de ses lectures et de ses réflexions, qu'il doit multiplier les rencontres avec les gens. « Chercher les contacts. Tous les contacts. Si je veux écrire sur les hommes, comment m'écarter du paysage ? » La camaraderie des stades où il jouait au football doit être retrouvée ailleurs. Il entre donc dans diverses activités où il agit avec d'autres.

C'est à la fin de 1935 qu'il s'inscrit au parti communiste. En cela il ne fait que suivre l'esprit du temps. Les héros intellectuels du moment - André Gide et André Malraux - sont proches des communistes. Camus ne se trouve aucune bonne raison pour ne pas faire comme beaucoup d'autres intellectuels. Le communisme semble être un bon terrain d'action pour une certaine justice sociale. Il écrit à Jean Grenier : « Il me semble que, davantage que les idées, c'est la vie qui mène souvent au communisme [...]. J'ai un si fort désir de voir diminuer la somme de malheur et d'amertume qui empoisonne les hommes. » Pourtant, entrer au parti communiste en Algérie n'est pas un geste innocent, car le parti encourage l'émancipation* des Algériens.

Dans ce même désir de rencontrer les hommes, Camus forme un groupe théâtral populaire où il entraîne des amis. La première pièce du théâtre du Travail sera une adaptation par Camus du roman politique d'André Malraux, *le Temps du mépris*. La pièce est jouée en janvier 1936. Camus en est le metteur en scène[1]. On joue la pièce en plein air, sur la plage de Bab el-Oued. La deuxième pièce de la troupe sera écrite collectivement[2]. C'est la *Révolte dans les Asturies*, qui parle d'un soulè-

1. Metteur en scène : personne qui dirige des acteurs.
2. Collectivement : avec d'autres personnes.

vement[1] de mineurs[2] en Espagne. Le maire d'Alger interdit la pièce dont les idées sont jugées trop dangereuses pour la sécurité de la ville.

« La mort dans l'âme »

L'été de l'année 1936 est difficile pour Camus. Un de leurs amis a persuadé les Camus de venir avec lui parcourir l'Europe centrale en kayak. Ils visiteront l'Autriche, l'Allemagne et la Tchécoslovaquie. Très vite Camus tombe malade. Il continue en train, les autres en kayak. Il les attend dans des villes inconnues. La peur existentielle[3] qu'il a en voyage est pire que jamais, partout il se sent véritablement étranger. Dans *la Mort dans l'âme* (une nouvelle* de *l'Envers et l'Endroit*), il s'inspire de son arrivée solitaire à Prague. Il raconte son angoisse[4] et sa solitude. Il a peu d'argent et il a peur de tomber malade dans un pays dont il ne connaît pas la langue, au milieu de gens avec qui il ne peut communiquer.

En fait, si Camus est si angoissé, c'est que lui et sa femme ont décidé de se séparer. La descente vers l'Italie le calme. Il se sent chez lui sous le soleil. Il retrouve son amour de la vie, dans cette « terre faite à mon âme[5] », écrit-il. « Chaque être rencontré, chaque odeur de cette rue, tout m'est prétexte pour aimer sans mesure. »

Au retour, Camus s'installe chez son frère. L'échec de son mariage aggrave chez lui un sentiment de solitude et de détachement. À partir de cette période, il montre de plus en plus « un tempérament africain », comme le décrit son professeur Jean Grenier. Il a l'orgueil des hommes d'Afrique du Nord et des Espagnols. Parfois

1. Soulèvement : révolte.
2. Mineur : ouvrier qui travaille sous la terre, dans les mines.
3. Existentielle : vitale, très profonde.
4. Angoisse : sentiment de tristesse et de peur.
5. Âme : cœur, esprit.

il s'excuse de ce qu'il appelle cette « castillanerie [1] », mais elle fait bien partie de son caractère d'adulte.

« La maison-devant-le-monde »

Dans *la Mort heureuse,* Camus parle de sa vie à la maison Fichu, que les voisins appellent la maison des trois étudiants. Camus la nomme La Maison-devant-le-monde : « Ce n'est pas une maison où l'on s'amuse mais une maison où l'on est heureux. » Il la loue depuis quelque temps déjà avec deux étudiantes d'Oran : Jeanne Sicard et Marguerite Dobrenn. Il y va pour travailler puis il y habite. Il écrit devant une large fenêtre sur la terrasse qui a une vue sur la mer : « devant-le-monde ».

Il y trouve « l'amitié douce et retenue des femmes ». Ils ont deux chats : Cali et Gula (Camus commence ses notes sur *Caligula* à cette époque), et un chien, Kirk, « le chien de l'angoisse ». Bientôt une amie d'Oran se joint à eux : Christiane Galindo. Dans *la Mort heureuse* elle est sans doute ce personnage* de jeune fille qui adore le soleil.

Camus se souviendra de sa vie dans la maison Fichu comme d'une période de bonheur. Et puis maintenant il a aussi un vrai métier : un contrat théâtral d'un an pour Radio-Alger. Il est metteur en scène et acteur pour sa troupe. Ils partent en tournée dans les villes et villages d'Algérie. Il a les rôles de jeune premier. Ils jouent le *Don Juan* de Pouchkine, mais aussi du Courteline. Entre ses tournées, Camus donne des cours particuliers [2] et il ne cesse d'écrire. Il est très actif à la Maison de la culture d'Alger, d'obédience [3] communiste. Les intellectuels de gauche y vont tous. Ils veulent faire d'Alger

---

1. Castillanerie : fierté des gens de la Castille, en Espagne.
2. Cours particuliers : leçons pour un seul élève qui paye son professeur.
3. Obédience : qui dépend de.

La troupe de Radio-Alger, dans une pièce de Théodore de Banville, *Gringoire* : Camus est à gauche.

une capitale intellectuelle du monde méditerranéen et invitent des conférenciers[1] représentant la culture méditerranéenne dans toutes ses différences. Pour eux, cette culture n'est pas seulement grecque et latine, mais aussi arabe et d'Afrique du Nord. Les musulmans et les colons en font partie. Une histoire commune rapproche l'habitant de Majorque ou de Gênes et le rend différent d'un Normand ou d'un Alsacien. Elle parle de l'homme, du soleil et de la mer, et « d'un certain goût de la vie », déclare Camus. Pourtant on ne transformera pas la culture méditerranéenne en régionalisme. On invite aussi des conférenciers de Paris. La Méditerranée devient ainsi un pont entre l'Orient et l'Occident, entre le Nord et le Sud.

1. Conférencier : expert qu'on invite à parler d'un sujet qu'il connaît.

Premières publications

En mai 1937 sort le premier livre de Camus, *l'Envers et l'Endroit*. C'est le deuxième titre de la collection « Méditerranéennes » de l'éditeur* algérois Edmond Charlot. Camus l'a dédié* à Jean Grenier. Il en sort trois cent cinquante exemplaires* qui seront distribués seulement en Algérie. C'est une œuvre très personnelle dans laquelle Camus décrit son enfance à Belcourt et ses quelques voyages à l'étranger. Le livre, qui est une suite de récits, est bien dans la lignée des conseils de Jean Grenier : Camus y parle des siens, de ce qu'il connaît. C'est le livre d'un Algérien. Comparé aux textes précédents et aux ébauches* que l'on trouve dans les *Carnets*, l'écriture est plus sûre. À Paris on ne connaîtra *l'Envers et l'Endroit* qu'en 1948, lors d'une réédition que Camus a finalement acceptée. Il en avait jusqu'ici refusé la réimpression, trouvant l'œuvre trop maladroite[1].

C'est un livre qu'il a écrit à vingt-deux ans, il faut le lire pour comprendre Camus. Lui-même sait que tout y est déjà, car sa jeunesse a été sa source d'inspiration, celle de tout artiste : « une source unique qui alimente[2] pendant sa vie ce qu'il est et ce qu'il dit ». On le découvre fils du soleil et de la mer.

Et puis l'autre partie, la vie simple des pauvres et ce petit garçon grandissant devant une mère silencieuse : « Pour moi, je sais que ma source est dans *l'Envers et l'Endroit*, dans ce monde de pauvreté et de lumière où j'ai longtemps vécu... »

Mais revenons à 1937, lors de la première sortie du livre. Camus travaille beaucoup, trop disent ses amis. Au début de l'été il profite de la mer, les amis sont partis en vacances. On retrouve ses écrits de l'époque dans *Noces*[3] à *Tipasa*, qui fera partie de *Noces*. Il est éton-

1. Maladroite : ici, de forme pas très sûre.
2. Alimenter : ici, donner matière à.
3. Noces : mariage.

nant de penser que *Noces*, qui parle de bonheur et de vie, a été écrit de 1936 à 1938, alors que Camus vivait des moments très pénibles : d'abord la séparation d'avec sa femme, puis ses ennuis avec le parti communiste, tout cela avec la maladie toujours possible.

Noces est une œuvre lyrique*. C'est une suite de nouvelles sur l'Algérie. La première, *Noces à Tipasa*, est un hymne* à l'Algérie, au plaisir des corps dans l'eau, à la chaleur et à l'odeur des herbes. Ces noces sont le mariage de l'homme et de la nature. Les premières lignes de cette nouvelle sont superbes : « Au printemps, Tipasa est habitée par les dieux et les dieux parlent dans le soleil et l'odeur des absinthes [1], la mer cuirassée [2] d'argent, le ciel bleu écru [3], les ruines couvertes de fleurs et la lumière [...]. À certaines heures, la campagne est noire de soleil. »

« J'AVAIS HONTE »

Camus ne parle pas beaucoup à ses amis de ses ennuis avec la cellule du parti communiste à laquelle il appartient. Au début, en 1935, on l'a chargé de recruter des musulmans pour le parti. Il s'occupe de la cellule de Belcourt. C'était un bon choix de la part du parti. En effet, bien qu'il ne sache pas l'arabe, Camus est un des rares, parmi les colons de la même tendance politique que lui, à savoir parler aux musulmans. Il les connaît depuis l'enfance. Les musulmans s'installaient de plus en plus à Belcourt à cette époque. Et puis Camus sait parler aux humbles [4], à ceux qui ressemblent aux hommes de sa famille. Il n'y a pas que des humbles, en réalité ; Camus fréquente aussi une élite [5] intellectuelle musulmane.

---

1. Absinthes : plantes qui ont un parfum très fort.
2. Cuirassée : ici, couverte.
3. Écru : blanc crème.
4. Humbles : gens pauvres.
5. Élite : ensemble de personnes remarquables par leurs qualités humaines et intellectuelles.

En 1936, les choses bougent vite en Europe et dans les rapports entre l'Union soviétique et le reste du monde. À cette époque, tous les partis communistes européens obéissent à la politique de l'Union soviétique. Staline est donc suivi par les communistes de France et d'Algérie. Jusqu'ici, les communistes ont défendu tout ce qui était ennemi du fascisme, ce fascisme conduit par Hitler en Allemagne, Franco en Espagne et Mussolini en Italie. Les forces humanitaires du temps sont représentées par le communisme et la gauche.

Les communistes soutiennent donc les demandes d'émancipation des musulmans en Afrique du Nord. Mais la situation se complique. L'Allemagne nazie, superbement armée, est une menace pour toute l'Europe. Staline et Pierre Laval, le ministre français des Affaires étrangères, se rencontrent. Staline sait qu'il est dans son intérêt d'avoir une France forte, or la France s'arme et veut rester un empire colonial. Staline accepte le militarisme [1] et le colonialisme* français. Tant pis pour les principes, on fera savoir aux partis communistes qu'ils ne doivent plus soutenir l'antimilitarisme et la décolonisation. À Alger, où les autorités policières sont particulièrement fortes, on commence à emprisonner des musulmans communistes et, parmi eux, des gens que Camus avait lui-même recrutés. Le parti, qui maintenant n'est plus anticolonialiste, ne les défend pas. Camus est en colère : «J'avais honte», dira-t-il. Puisqu'il ne se calme pas, il est exclu [2] du parti.

1. Militarisme : politique s'appuyant sur une armée forte.
2. Exclu : mis en dehors de, renvoyé.

CHAPITRE 3

« L'ÉTRANGER »

Toute cette agitation politique a lieu au cours de 1937. Il n'y en a aucune trace dans les *Carnets* de Camus. En revanche, un événement personnel qui servira de matière à sa réflexion et à ses écrits est longuement mentionné : il s'agit de son deuxième séjour en Europe.

VOYAGES

Nous sommes en août 1937, il est grand temps pour Camus de se soigner sérieusement. Il part à la montagne avec un ami, dans les Hautes-Alpes, en France. Ils arrivent en bateau à Marseille et traversent le Midi, paysage méditerranéen que Camus aime. Puis ils montent vers Paris. Camus se sent angoissé, il déteste ces paysages du Nord. Il retrouve cette peur que lui donnent les endroits différents de sa Méditerranée natale.

Pourtant, arrivé à Paris en plein mois d'août, il remarque avec plaisir la douceur du ciel et des couleurs grises. Il avait souvent rêvé d'y vivre. Pour un écrivain de langue française de cette époque, Paris est la seule ville possible. Camus n'y reste que quelques jours, mais il la parcourt à pied en tout sens et il lui semble qu'il connaît bien cette ville.

Puis il doit aller à la montagne. Il arrive à Embrun, dans les Hautes-Alpes, et s'y trouve un hôtel bon marché. Il prend soin de lui, écoute son corps. S'il est tuberculeux, beaucoup d'autres écrivains l'ont été avant lui « [...] je pensais tout le temps à K. Mansfield, à cette longue histoire tendre et douloureuse d'une lutte avec la maladie... » Il a besoin de ce repos, de s'éloigner d'Alger et de ses activités pour travailler. La maladie lui donne une discipline de vie, renforce sa volonté. Il a des projets que l'on retrouve dans les *Carnets*. Il écrit le plan de son premier roman : *la Mort heureuse*. Ainsi, il note dans les *Carnets* qu'il écrira le roman d'un homme qui a cru trouver la vie, comme tous les autres, dans le mariage et une situation professionnelle. Lui, à ce moment-là, se sent « étranger ».

Le roman *la Mort heureuse*, très autobiographique, est maladroit. Jean Grenier, qui a lu le manuscrit*, le rejette. Camus va l'abandonner pour écrire *l'Étranger*. *La Mort heureuse* ne sera publiée qu'en 1971, après sa mort.

On trouve dans les *Carnets* une réflexion très intéressante sur son œuvre : « J'ai besoin parfois d'écrire des choses qui m'échappent en partie, mais qui précisément font la preuve de ce qui en moi est plus fort que moi. »

Il rentre, en passant à nouveau par le Midi. Ses amies de la maison Fichu sont avec lui. Ensemble, ils vont jusqu'à Pise et Florence. Camus est très touché par la beauté du paysage italien. Il confirme son abandon à un monde qui lui suffit. Camus n'est pas croyant[1]. On trouvera ce sentiment dans les dernières pages de *l'Étranger*. Il écrit dans les *Carnets :* « La nature sans hommes. Le monde m'annihile[2]. Il me porte jusqu'au bout. Il me nie[3] sans colère. Et moi, consentant et vaincu, je m'achemine vers une sagesse où tout est déjà conquis[4]. »

Résolutions

De retour à Alger, Camus continue à vouloir se discipliner. Perdre une partie de son temps à gagner sa vie est tout de même une chose qu'il doit accepter. Il pense devenir enseignant, cela lui laisserait encore le temps

1. Croyant : qui croit en Dieu.
2. Annihiler : nier, effacer, faire disparaître.
3. Nier : supprimer, rejeter.
4. Conquis : gagné.

En voyage en Italie, à la fin de l'été 1937.

d'écrire. Il est nommé à Sidi Bel Abbes. Il y reste une nuit. Au matin, il met ses affaires dans sa valise et repart pour Alger. L'idée de vivre dans un endroit si pauvre intellectuellement lui fait horreur. Il préfère l'avenir incertain à Alger.

Exclu du parti et par là même du Théâtre populaire qui en dépendait, il fonde une autre troupe : le théâtre de l'Équipe. Il fera maintenant un théâtre comme il l'entend. Les mots d'ordre sont : « travail, recherche, audace[1] ». Ce sera un théâtre d'idées, tout à fait dans la ligne de ce qui se passe à Paris. Il travaille à une pièce tirée du roman de Dostoïevski : *les Frères Karamazov*.

Le spectacle est un succès. Les quotidiens* d'Alger annoncent qu'ils ont « un jeune théâtre comparable à ceux que Paris ou deux ou trois villes de province ont la chance de posséder ».

Pendant l'année 1938, Camus s'affermit dans sa résolution d'écrire. Il travaille régulièrement à *la Mort heureuse* et continue *Noces*. En avril 1938, il note dans son journal : « Dans deux ans écrire une œuvre. »

Il gagne sa vie aussi. Il a trouvé un travail temporaire à l'Institut de météorologie d'Alger. Il y travaille consciencieusement.

Avec son éditeur Edmond Charlot, il participe à la création de *Rivages*, une revue* consacrée à la culture méditerranéenne. C'est Camus qui en écrit le manifeste*. À une époque où certaines doctrines[2] cherchent à séparer les hommes et le monde, « il n'est pas mauvais que des hommes jeunes, sur une terre jeune, proclament leur attachement[3] [à ce qui donne] un sens à notre vie : mer, soleil et femmes dans la lumière ».

---

1. Audace : absence de peur.
2. Doctrine : ensemble d'opinions.
3. Attachement : relation, croyance, appartenance.

À cette époque Camus passe beaucoup de son temps libre dans la librairie de l'éditeur Charlot. Il lit tout ce qui sort à Paris et conseille son ami libraire-éditeur. Il découvre les traductions de Hemingway, de Faulkner, de Kafka. Il est aussi lecteur de manuscrits pour la collection « Méditerranéennes » d'Edmond Charlot. Il est payé pour ce travail. Mais *Rivages* va cesser de paraître, les temps ne sont plus à la littérature.

Ses *Carnets* restent discrets sur sa vie privée, pourtant un événement important survient en 1938. À la maison Fichu est passée une amie de Marguerite Dobrenn qui vient d'Oran. Elle s'appelle Francine Faure. Elle est jolie, intelligente, douce et bien élevée. Elle est professeur de mathématiques à Oran. Bientôt, Camus la présente comme sa fiancée.

Avec sa femme, Francine.

CHAPITRE 4

JOURNALISTE ET ÉCRIVAIN

Cette année-là, Camus fait une autre rencontre qui va longtemps compter pour lui. Alors que Jean Grenier, son ancien professeur, quitte l'Algérie pour la France, il semble qu'une phase de la vie de Camus se termine. Il a publié *l'Envers et l'Endroit*, et *Noces* vient de sortir. Ce sont des œuvres de jeunesse, de la Méditerranée. Il a témoigné des siens comme le lui conseillait Jean Grenier.

À ALGER RÉPUBLICAIN

Il rencontre Pascal Pia avec qui il va faire du journalisme, un métier qui permet à Camus de toucher à la vie réelle d'Alger. Pascal Pia est un journaliste professionnel parisien. Il connaît les milieux littéraires de Paris, c'est un ami d'André Malraux. On lui a demandé de venir à Alger prendre la direction d'un nouveau journal : *Alger républicain*. C'est un journal de gauche. Camus est reporter. Il est chargé de la partie algérienne du journal, il va défendre des idées de gauche, s'intéresser aux problèmes de la colonisation*. Il part sur le terrain, il raconte les crimes, les incendies, les procès [1]. Il prend contact avec la réalité de son pays et la misère des petites gens.

Il ouvre aussi une colonne de critique littéraire. Il donne des comptes rendus des livres de Sartre, Gide, Huxley.

Il travaille beaucoup. Il est maigre, tousse beaucoup trop et s'habille sans recherche. On est loin du Camus universitaire. Il gagne très peu d'argent mais il est traité en adulte.

1. Procès : ce qui se passe devant un tribunal de justice.

Il prend ses responsabilités à l'égard de lui-même et trouve le temps d'écrire. Il a déjà planifié son travail d'écrivain pour le reste de sa vie. Il a trouvé une stratégie : il écrit en trilogie, c'est-à-dire qu'il expose une idée philosophique d'abord dans un roman, puis dans une pièce de théâtre et enfin dans un essai*. Souvent il écrit les trois en même temps. Par exemple, à cette époque, il travaille sur l'absurde. Il en fera un roman qui sera *l'Étranger*, une pièce de théâtre, *Caligula*, et un essai philosophique, *le Mythe de Sisyphe*.

Responsable des informations algériennes du journal, Camus va bientôt avoir des causes à défendre et dénoncer des injustices dont il n'avait aucune idée auparavant. Il découvre la corruption de la justice coloniale. La police n'hésite pas à trouver de faux témoins[1] et à torturer des accusés[2]. Le journal soutient plusieurs causes célèbres en Algérie. C'est ainsi que l'ouvrier Hodent, accusé injustement de vol, est libéré.

Camus défend aussi des ouvriers agricoles accusés d'être incendiaires[3]. Le travail du journaliste n'étant pas de déclarer des accusés innocents mais de dénoncer les faux témoignages.

Mais ce que Camus écrit de plus important pour *Alger républicain*, c'est une série d'articles sur une région de l'Algérie qui porte le titre : *Misère de la Kabylie*. La Kabylie est une région fertile où les colons possèdent presque toute la terre. Les indigènes qui y vivent sont misérables, ils doivent importer même leurs céréales. Camus titre un de ses articles : « Un peuple qui vit d'herbes et de racines ». Il se rend compte que si les petits colons sont pauvres, la misère est pire pour les musulmans.

---

1. Faux témoins : personnes qui mentent en accusant d'autres personnes.
2. Accusés : personnes que l'on pense coupables de crime ou de méfaits.
3. Incendiaire : personne qui a allumé un feu criminel.

« NE RIEN ÉPARGNER »

En Europe les événements sont de plus en plus inquiétants. On vient de signer le pacte de Munich qui laisse Hitler entrer en Tchécoslovaquie. Mais en Algérie rien ne change. Camus se prépare à partir en Grèce avec Francine. Il relit les classiques grecs, en particulier les mythes et les légendes.

En septembre 1939, la guerre est déclarée : « le règne[1] des bêtes a commencé », trouve-t-on dans les *Carnets*. Camus ne peut s'engager dans l'armée, il est trop malade.

Il reste donc journaliste. Pascal Pia a décidé de remplacer *Alger républicain* - qui perd de l'argent - par un quotidien de deux pages seulement, que l'on vend dans les rues d'Alger.

Camus est rédacteur en chef de ce journal : *Soir-Républicain*. La censure est très active et interdit tout ce qui n'aide pas à la guerre. Camus se moque du censeur en introduisant dans ses articles des citations de Voltaire ou de Pascal qu'on lui fait aussitôt enlever. Un jour il y a tant de phrases censurées qu'on publie une page blanche avec ces mots : « Le *Soir-Républicain* n'est pas un journal comme les autres, il offre toujours quelque chose à lire. »

Mais en Algérie les temps ne sont plus à la plaisanterie ; il faut soutenir tout ce que fait la France en guerre contre l'Allemagne. Pia et Camus ne le font pas assez et s'obstinent à tout critiquer librement. Finalement, le journal est interdit.

Pascal Pia trouve tout de suite un travail à Paris, à *Paris-Soir*, l'un des plus grands quotidiens de la capitale. Camus, lui, est toujours à Alger, sans travail. Avec son passé d'homme de gauche, plus personne ne veut l'employer. Il vit en donnant des cours particuliers. Il

---

1. Règne : temps, pouvoir, domination.

L'équipe d'*Alger républicain*, vers 1938. Camus est le deuxième, à partir de la droite.

Paysans de Kabylie en train de labourer un champ.

attend des nouvelles de Pia qui a promis de lui trouver un travail à Paris. Il a plus de temps à partager avec Francine, il peut lire. Il lit beaucoup Nietzsche à cette époque. Une sorte de calme lui vient : « Étranger, avouer que tout m'est étranger. Maintenant que tout est net, attendre et ne rien épargner [1]. »

À PARIS-SOIR

En mars 1940, Camus est à Paris. Pascal Pia lui a trouvé un travail à *Paris-Soir*. Camus n'est plus journaliste mais simple secrétaire de rédaction. Il passe la plupart de son temps au journal au milieu de l'équipe de typographes* où il se sent à l'aise. Le soir il rentre dans une chambre d'hôtel pauvre. Il y écrit les dernières pages de *l'Étranger*. Paris, noir et gris, dans une France en guerre, lui semble affreux [2]. Ici la misère est plus grande car il fait froid. Camus est conscient de cette injustice du climat qui défavorise encore plus ceux qui n'ont rien.

Et le pire arrive. La Belgique capitule*, le nord de la France est envahi par les troupes allemandes. Le 14 juin 1940, les soldats allemands défilent [3] dans Paris. Le gouvernement français a signé l'armistice avec les Allemands. On divise la France en deux. La partie Nord est sous occupation allemande, et le Sud est sous un gouvernement français dont la capitale est maintenant la ville de Vichy. À l'arrivée des Allemands, les Parisiens qui veulent vivre en zone libre quittent la ville. La direction de *Paris-Soir* décide de s'installer en zone libre, à Saint-Étienne. Toute l'équipe du journal est là, la camaraderie y est plus facile qu'à Paris. Libres l'après-midi, ils font des sorties en groupe dans la campagne voisine. Tout le monde est étranger dans cette ville de province. Bientôt, le journal part s'installer à Lyon.

---

1. Épargner : ici, protéger.
2. Affreux : terrible, laid, triste.
3. Défiler : marcher en rangs.

Pascal Pia et Albert Camus, à Lyon, en 1940.

Enfin un moment de plaisir pour les copains du journal : en décembre 1940, Camus se marie avec Francine Faure. On invite les typographes à prendre un verre. Il fait très froid mais la mariée est belle et gentille. Elle vient juste d'arriver d'Algérie et passe ses journées à recopier à la main, dans leur chambre non chauffée, le manuscrit du *Mythe de Sisyphe*.

À la fin de l'année, les soldats français vaincus retournent chez eux, ils vont reprendre leur emploi d'avant la guerre. À *Paris-Soir*, ils reprennent leur travail et les nouveaux employés doivent partir. Camus se retrouve sans emploi. Francine et lui décident de rentrer en Algérie, à Oran, où la jeune femme a un poste d'enseignante.

Oran

L'Algérie, territoire français, est dans la même situation que la zone libre en France. Comme le gouvernement de Vichy, l'Algérie a pris des mesures antijuives pour satisfaire les Allemands. Il est interdit d'avoir plus d'un élève juif pour sept enfants dans une classe. Comme les Juifs sont nombreux à Oran, beaucoup ne peuvent plus aller à l'école. André Bénichou, un ami de Camus, leur donne des cours. Lui, qui est juif, n'a droit qu'à cinq élèves par classe, alors il répète ses cours plusieurs fois par jour. Il offre un travail à Camus qui se spécialise dans l'enseignement du français.

Le couple vit à Oran, dans un appartement situé à côté de celui de la famille de Francine. Oran ne ressemble pas à Alger. Pour Camus c'est une ville fascinante car elle est neuve et riche. Il n'y a là aucune vie intellectuelle, Camus n'y est pas chez lui comme à Alger, où il se rend quand il peut. Il décrit Oran comme une ville dévorée par un minotaure* qui s'appelle l'ennui. Il commence d'y écrire sa deuxième série de trois œuvres. Cette fois le sujet est la révolte. Comme pour sa première série il y aura un roman, *la Peste*, une pièce de théâtre, *le Malentendu*, et un essai philosophique, *l'Homme révolté*. Camus travaille beaucoup mais parle peu de ce qu'il écrit. Tout événement devient matière à nourrir son travail d'écrivain. Par exemple, un jour, Emmanuel Roblès, un vieil ami, passe le voir : Camus l'interroge longtemps sur l'épidémie de typhus qui a surgi dans la région où Roblès enseigne ; il veut savoir quelles mesures ont été prises pour isoler les malades. Il relève dans son journal des incidents qui se retrouvent dans ses livres : tel ce vieil homme d'Oran qui jette par la fenêtre des petits bouts de papier sur le trottoir pour attirer les chats, puis il leur crache dessus. On peut lire cette histoire dans *la Peste*.

Au milieu de la guerre, du travail et de l'écriture, Camus se donne un moment de repos : en juillet 1941, il part camper une semaine dans les dunes près d'Oran. Il est heureux ; goûtant le bonheur des soirées chaudes, il écrit : « [...] nuits de bonheur sans mesure sous une pluie d'étoiles [...]. Pouvoir écrire : j'ai été heureux huit jours durant. »

Mais le temps n'est pas au bonheur, il est à la violence. À cette époque, Camus ne fait partie d'aucun mouvement de résistance*, bien que beaucoup de ses amis en soient des membres actifs. Ce n'est pas par pacifisme, car il y a longtemps qu'il sait que l'on doit se battre contre les Allemands. À cette époque, sa manière à lui de faire de la résistance, c'est d'aider son ami Bénichou, et d'accepter que son appartement, ou la maison Fichu, servent parfois de passage à ceux qui, venant de France, veulent partir aux États-Unis *via* l'Afrique du Nord.

Une nuit de janvier 1942, Camus tousse et crache du sang, il est près de mourir. La crise est aussi grave que celle qu'il a eue à dix-sept ans. La tuberculose a progressé : cette fois-ci le poumon [1] gauche est atteint. La

1. Poumon : partie du corps qui reçoit l'oxygène.

convalescence sera longue et sérieuse. Aux beaux jours, il n'a même plus le droit d'aller nager. C'est donc au lit qu'il apprend les aventures de ses manuscrits à Paris.

Les absurdes

Depuis quelques mois, les trois manuscrits de Camus qui développent l'idée de l'absurde - *l'Étranger, le Mythe de Sisyphe* et *Caligula* - font un voyage compliqué : Camus les avait envoyés à Pascal Pia, il voulait les voir publier ensemble. Comment peut-on vouloir être publié en France, à Paris, quand on sait que ce pays est occupé et que tout ce qu'on publie est censuré ? N'est-il pas préférable pour un homme qui se veut juste comme Camus de se taire ? Tout ce que l'on publie alors ne sert-il pas à montrer aux Allemands qu'on les accepte et que la collaboration* avec eux est possible ?

Sous l'Occupation, Paris va au théâtre et au cinéma, continue à lire et à vivre. Quant aux écrivains et aux intellectuels, ils sont de deux sortes, comme le reste des Français. Il y a les collaborateurs* qui croient en la victoire allemande et au nazisme, et puis il y a les autres. En mars 1942, la Nouvelle Revue Française propose à Camus de le publier. Mais la NRF, la prestigieuse revue qui avait publié tous les écrivains que Camus admirait avant la guerre, collabore avec les Allemands. Camus, de son lit de malade à Oran, refuse. Sur la recommandation de Malraux, il sera publié par la maison d'édition* Gallimard, acceptable puisque indépendante de la propagande allemande. Paru le 15 juin 1942, *l'Étranger* reçoit un accueil favorable, mais les journaux ont peu de papier et peu de place pour la critique littéraire. Camus ne reçoit qu'un exemplaire de son livre, les autres se perdent entre Paris et Oran.

Il faut maintenant parler de *l'Étranger*, l'un des romans français les plus lus du XXe siècle. À vrai dire ce n'est pas un roman, mais un récit. Il est écrit à la première

I

Tout de suite après mon arrestation, j'ai été interrogé plusieurs fois. Mais il s'agissait d'interrogatoires d'identité qui n'ont pas duré longtemps.

~~On m'a interrogé plusieurs fois après mon arrestation mais il s'agissait d'interrogatoires d'identité qui n'ont pas duré longtemps.~~ La première fois ~~[illegible]~~ [illegible] au commissariat, mon affaire semblait n'intéresser personne. [illegible] juge d'instruction, au contraire, m'a regardé ~~[illegible]~~ avec une sorte de [illegible]. Mais ~~[illegible]~~ pour commencer, il m'a seulement demandé mon nom et mon adresse, ma profession, la date et le lieu de ma naissance. Puis il ~~[illegible]~~ a voulu savoir si j'avais choisi un avocat. J'ai reconnu que non et ~~j'ai demandé~~ je l'ai questionné pour savoir s'il était absolument nécessaire d'en avoir un. Pourquoi ? a-t-il dit. J'ai répondu que je trouvais mon affaire très simple. Il a souri en disant : « C'est un avis. Pourtant la loi est là. [illegible] d'avocat, nous en désignerons un d'office. » J'ai trouvé qu'il était très commode que la ~~[illegible]~~ justice se chargeât de ces détails. Je le lui ai dit. Il m'a approuvé et a conclu que la loi était bien faite.

Au début, je ne l'ai pas pris au sérieux. ~~[illegible]~~ J'ai ~~[illegible]~~ été [illegible] dans une pièce tendue de rideaux et il y avait sur son bureau une seule lampe qui éclairait le fauteuil où il m'a fait asseoir. J'avais déjà lu une description ~~[illegible]~~ dans des livres et tout cela m'a paru un jeu. Après notre ~~conversation~~ [illegible], au contraire, je l'ai regardé et j'ai vu un homme aux traits fins, aux yeux bleus enfoncés, grand, avec une longue moustache grise et d'abondants cheveux presque blancs. Il m'a paru très raisonnable et, somme toute, sympathique, malgré quelques tics nerveux qui lui tiraient la bouche. En sortant, j'allais même lui tendre la main, mais je me suis souvenu à temps que j'avais tué un homme.

Le lendemain, un avocat est venu me voir ~~[illegible]~~ à la prison. Il était petit et rond, assez jeune, et les cheveux soigneusement collés. Malgré la chaleur (j'étais en bras de chemise) il avait un costume sombre, un col cassé et une cravate ~~bizarre~~ à grosses raies noires et blanches. Il a posé ~~[illegible]~~ sur mon lit la serviette qu'il portait sous le bras, s'est présenté et m'a dit qu'il avait étudié mon dossier. Mon affaire était délicate mais je ne doutais pas du succès, si je lui faisais confiance. Je l'ai remercié et il m'a dit : « Entrons dans le vif du sujet. »

[Marginal notes: pendant que les [illegible] étaient dans l'ignorance — aux yeux bleus enfoncés,]

L'écriture de Camus : une page du manuscrit de *l'Étranger*.

personne. « L'Étranger » s'appelle Meursault. Il vit avec indifférence, accueillant tout ce qui lui arrive comme allant de soi [1]. Il fait le récit de sa vie, sans mensonge, comme il la voit. Il habite Alger. Il a un travail, des copains, une amie. Elle veut l'épouser. Il est d'accord. Il pourrait tout aussi bien ne pas l'épouser. Il est profondément indifférent aux décisions, aux passions.

Mais il est heureux. Il aime la mer et l'été. Sur une plage, un Arabe fait briller la lame d'un couteau ; aveuglé par le reflet de la lumière et se croyant menacé, Meursault tire sur lui. Accusé de meurtre il ne peut se défendre qu'en disant : « C'était à cause du soleil. » Ce qui est vrai et absurde. Plus que d'un meurtre, Meursault est accusé d'indifférence. C'est un monstre qui n'a même pas pleuré à l'enterrement de sa mère. Il est condamné à mort. Avant de mourir, il se révolte contre l'aumônier [1] qui vient le voir. Il refuse de croire en une vie après la mort. Aucune des certitudes de l'aumônier « ne valait un cheveu de femme ». Il crie son amour pour cette terre. Puis il s'apaise. Il a compris que sa propre indifférence fait partie de l'indifférence de l'univers : « Je m'ouvrais pour la première fois à la tendre indifférence du monde. De l'éprouver si pareil à moi, si fraternel enfin, j'ai senti que j'avais été heureux, et que je l'étais encore. »

Il faut lire *l'Étranger* pour en apprécier la force. *La Mort heureuse*, qui en fut une sorte d'ébauche, montre le chemin que Camus avait parcouru depuis. Dans *l'Étranger*, l'écriture est parfaitement maîtrisée. Ici la langue elle-même est l'expression de la pensée. Elle est précise, colorée, concrète, parfaitement adaptée aux événements et au personnage.

---

1. Aller de soi : venir naturellement, logiquement (pour une action, un événement).
2. Aumônier : prêtre.

Si *l'Étranger* donne le ton des années absurdes de l'Occupation, ce n'est pas la seule raison de son succès. Chaque génération reçoit le choc de ce livre. La lucidité [1], le besoin de dire les choses comme elles sont, la solitude de l'être humain face au mystère de sa propre vie, mais aussi l'amour de la vie et de ses plaisirs, c'est cela Camus.

De nos jours on lit moins *le Mythe de Sisyphe*, qui fut publié quatre mois après *l'Étranger*. Mais la pensée philosophique contenue dans ce livre nous fait comprendre ce que Camus entendait par l'absurde. Sisyphe est un personnage de la mythologie grecque que les dieux ont condamné à une activité absurde. Il passe sa vie à pousser un rocher vers le sommet d'une montagne. Le rocher grandit au fur et à mesure de la montée jusqu'à ce que Sisyphe ne puisse plus le retenir. Le rocher dégringole [2] la pente. Sisyphe recommence alors sa tâche [3] futile et éternelle. Et pourtant « il faut imaginer Sisyphe heureux ». Les hommes sont semblables à Sisyphe. Ils acceptent de vivre et de mener leur vie quotidienne alors qu'ils doivent tous mourir. Dieu n'existe pas et les hommes meurent, ce monde est donc absurde. « L'absurde naît de cette confrontation entre l'appel humain et le silence déraisonnable du monde. » La solution la plus sensée serait de se suicider, mais les hommes continuent à vivre car ils aiment leur vie, comme Sisyphe : « La lutte elle-même vers les sommets suffit à remplir un cœur d'homme. »

---

1. Lucidité : qualité d'une personne qui regarde la réalité clairement.
2. Dégringoler : retomber en bas.
3. Tâche : travail.

CHAPITRE 5

L'EXIL

Pendant les vacances de l'été 1942, les Camus obtiennent le droit d'aller en France. Camus doit s'y soigner. Ils vont à la montagne, au sud de Saint-Étienne, près de Chambon-sur-Lignon, dans la famille de Francine. Camus prend régulièrement le train pour aller se faire soigner à Saint-Étienne. Quand il rentre le soir, sa femme l'attend à la gare, puis ils marchent jusqu'à la ferme du Chambon. Ils font des projets : ils ont décidé de s'acheter une maison à Oran, avec vue sur la mer.

Loin des siens

Début octobre, Francine retourne en Algérie pour reprendre son poste d'enseignante. Son mari doit continuer sa convalescence seul au Chambon. Il est résolu à guérir, il ne boit plus de vin et limite ses cigarettes. Il lit Joyce, Proust. Il travaille régulièrement à *la Peste*. Il a commencé sa pièce *le Malentendu*, il en a eu l'idée en lisant un fait divers* : un voyageur est tué par son hôtelière et sa fille qui veulent le voler ; c'est le fils de l'hôtelière qui ne s'était pas fait reconnaître. Il commence aussi ses notes sur *l'Homme révolté*.

Camus se sent loin des siens pendant ces mois d'hiver. Le 8 novembre 1942, les Alliés* ont débarqué en Afrique du Nord, le 11 novembre les Allemands descendent dans le sud de la France « comme des rats ». Il n'y a plus de zone libre. Non seulement Camus ne peut plus rentrer en Algérie, mais il est aussi très inquiet pour sa famille, car on pense que les Allemands vont bombarder* les villes algériennes. On retrouve cette douleur de la séparation dans *la Peste*. Le paysage de la Haute-Loire, en ces mois d'hiver, l'oppresse. Cette angoisse se retrouve dans l'atmosphère du *Malentendu*. Il travaille dur et passe ses après-midi à se promener dans la campagne avec son chien. Il va souvent à Lyon pour parler avec Pascal Pia. Pia est alors un membre actif de la Résistance. Il s'inquiète de la solitude de Camus et lui présente des écrivains vivant dans la région, en particulier Francis Ponge. Ponge est un poète et un résistant* actif. Ils se rencontrent souvent, Camus lui parle de *la Peste* et lui avoue son ennui : « L'exil [1] me pèse. »

Parfois il monte à Paris. Un témoin se souvient : « Jeune, maigre, dans un imperméable assez fripé [2] [...]. Il avait cet air un peu ambigu [3], un peu las, que nous étions si prompts à reconnaître aux "clandestins [4]". »

Camus fait de la résistance à sa manière. Il écrit les *Lettres à un ami allemand* pour un journal clandestin. Ces articles expriment bien les sentiments qu'un Français ressent pour son pays en ces années d'Occupation. Il y défend l'idéal de la Résistance. Parce qu'il reste pacifiste dans sa nature, le résistant est encore plus digne. Selon Camus, il sait que la violence ne mène à rien, mais il va vers la mort car il lui faut défendre les valeurs auxquelles il croit par « goût violent de la justice ». Il justifie donc le combat : « C'est beaucoup au contraire que d'avancer vers la torture et vers la mort, quand on sait de science certaine que la haine et la violence sont choses vaines [5] par elles-mêmes. C'est beaucoup que de se battre en méprisant [6] la guerre... »

---

1. Exil : séjour loin de son pays.
2. Fripé : mal repassé.
3. Ambigu : difficile à comprendre.
4. Clandestin : qui n'est pas dans la légalité ; ici, un résistant.
5. Vaines : inutiles.
6. Mépriser : trouver mal ; se sentir supérieur à quelqu'un.

Chez Gallimard

Après un an de convalescence et de solitude au Chambon, Camus peut enfin partir : la maison d'édition Gallimard lui a offert un poste de lecteur, à Paris. Bientôt il s'installe dans un studio que lui prête André Gide. Cet hiver de 1943 est très dur car les Allemands ont peur : ils ont été repoussés sur le front russe, les Alliés avancent en Italie. La répression nazie contre les Juifs et la chasse aux résistants se font encore plus violentes. À Paris, il devient de plus en plus difficile de se nourrir et de se chauffer. On se déplace à bicyclette, on fait des queues interminables, on va au cinéma, au théâtre, au café, enfin on recherche tous les endroits chauffés. C'est ainsi que des écrivains comme Jean-Paul Sartre et Simone de Beauvoir se retrouvent tout le temps au café *Le Flore*, dans le quartier de Saint-Germain-des-Prés. Bien au chaud, ils écrivent sur un coin de table et y reçoivent leurs amis.

Chez Gallimard, Camus commence à être à l'aise. La maison d'édition la plus célèbre de Paris publie presque tous les écrivains importants. Elle est le cœur de la vie littéraire de Paris. Et puis Camus n'est plus un jeune inconnu, il est la dernière vedette de la maison, l'auteur de *l'Étranger*. Si, au début, Camus reste silencieux, la personnalité de leader qu'il a montrée en Algérie commence à se révéler. Il devient plus qu'un lecteur-auteur, on sait que ses jugements littéraires sont solides. Dans le comité de lecture de Gallimard, il représente la jeune génération. Et puis il a du charme et de la chance dans ses amitiés. Au temps où il travaillait pour *Paris-Soir* il avait rencontré une jeune fille sympathique, Jeanine, qui est maintenant la fiancée de Michel Gallimard. Il faut dire que toute la famille Gallimard travaille à la maison d'édition. Michel est lecteur mais aussi chargé de l'aspect commercial. Jeanine et Michel Gallimard deviendront rapidement les meilleurs amis de Camus.

SAINT-GERMAIN-DES-PRÉS

Camus a d'autres compagnons : Sartre, Simone de Beauvoir et les artistes de Saint-Germain-des-Prés. Ils dînent ensemble chez l'un ou chez l'autre, écoutent du jazz. Camus est bon danseur. Quelquefois la fête dure toute la nuit, on rentre au matin après le lever du couvre-feu*. En apparence, la solitude de Camus est bien finie.

Quel effet faisait Camus sur ces intellectuels parisiens et quel effet avait fait son livre *l'Étranger* ? Il est étranger lui-même, il vient d'ailleurs et ne partage pas leur passé de Parisiens. Il se peut qu'à ses débuts à Paris Camus n'ait pas compris tous les courants d'influence de la vie parisienne littéraire. Lui, il aime aimer et être aimé, il est charmant et il croit qu'on l'aime. Il a le sens de la camaraderie et l'esprit d'équipe. C'est pour cela qu'il a adoré le football, le travail en commun au théâtre et dans un journal. Il aime son succès aussi : les autres peuvent se permettre de dédaigner les honneurs, lui, l'enfant de Belcourt, il aime réussir. Sa réussite est une revanche pour sa famille et son milieu d'origine.

« BEAUCHARD »

Il va bientôt retrouver le plaisir du travail en équipe : Pascal Pia le présente à Jacqueline Bernard, responsable de *Combat*, un journal clandestin financé par la Résistance. Pia lui affirme que Camus sait tout faire, depuis les reportages jusqu'à la mise en pages. Pia et ses amis, sûrs de la victoire des Alliés, préparent en fait un journal pour l'après-guerre, quand la France sera libre. Camus va donc travailler dans la clandestinité ; son nom de résistant est « Beauchard ». Il risque la mort comme les autres, mais on ne l'expose [1] pas. Ses amis savent qu'il ne survivrait pas à un interrogatoire de la Gestapo.

---

1. Exposer : faire prendre des risques.

Jean-Paul Sartre et Simone de Beauvoir à Saint-Germain-des-Prés.

À *Combat*, il est heureux. Il vit l'aventure du journal au milieu d'une équipe enthousiaste avec qui il aime rire et plaisanter. Roger Grenier, journaliste, se souvient : « Il portait toujours un imperméable... je retrouvais tout ce que m'avaient offert ses livres dans sa façon de pencher un peu la tête de travers quand il souriait, de mettre les mains dans les poches, dans sa voix au débit un peu lent, comme s'il était toujours en train d'expliquer quelque chose. »

Pour un tuberculeux convalescent, Camus mène une vie bien remplie. Il écrit, il continue *la Peste*, il travaille chez Gallimard, il est à *Combat* et il trouve encore l'énergie de rencontrer Sartre et sa bande. Il est vrai que les temps sont à la fièvre, on attend à tout instant le débarquement* des Alliés.

Parallèlement à toute cette activité, *le Malentendu* va être joué sur une des plus importantes scènes parisiennes : le théâtre des Mathurins. Camus assiste le plus souvent possible aux répétitions de sa pièce. Le rôle de la fille, Martha, est tenu par la jeune actrice Maria Casarès. Elle a déjà fasciné le Tout-Paris et Camus est fasciné à son tour. Maria Casarès est d'origine espagnole, ce qui les rapproche, car Camus est très sensible à sa propre origine espagnole.

Le 6 juin 1944, les troupes alliées ont débarqué en Normandie. À *Combat*, on s'active pour préparer clandestinement le premier numéro de la Libération*. Mais les Allemands sont plus que jamais méfiants et arrêtent de plus en plus de gens soupçonnés [1] de faire partie de la Résistance.

À Lyon, l'imprimeur* de *Combat* est arrêté. Camus va loger chez un ami.

Au milieu de tous ces dangers, la première représentation de sa tragédie *le Malentendu* a lieu le 24 juin 1944. Ce sera la dernière pièce où les collaborateurs vont encore pouvoir s'exprimer. Ils le font. On connaît les sympathies de Camus pour la Résistance et on ne le ménage pas. Le soir de la générale* est un vrai désordre où le public siffle et se moque, tandis que les amis de Camus, les Gallimard par exemple, applaudissent [2] tant qu'ils peuvent.

---

1. Soupçonnés : suspects.
2. Applaudir : battre des mains pour approuver.

Mais il faut admettre que la pièce n'est pas bonne. Elle est trop sombre et compliquée. Camus va la retravailler - la version que nous connaissons à présent est bien meilleure que celle de 1944.

La libération

Pendant ce temps, les Alliés continuent leur marche sur Paris. À *Combat* les choses se précipitent : Jacqueline Bernard est arrêtée le 11 juillet. Camus décide de s'enfuir. Il part à vélo avec Pierre, Michel et Janine Gallimard ; ils vont se cacher dans la vieille maison d'un ami, à une centaine de kilomètres de Paris. Ils y restent quelques semaines, presque en vacances. Ils se promènent dans la campagne, se baignent dans la rivière et vont au café du village. Ils écoutent la radio de Londres : les troupes alliées avancent. Ils décident de rentrer à Paris.

Les journées de la libération de Paris sont assez confuses. Les Américains encerclent la ville mais n'y pénètrent pas, d'abord parce que Paris est encore aux Allemands - vont-ils brûler Paris avant de capituler ? -, ensuite parce que Paris doit être libéré par des Français. La Résistance veut agir vite : la population ne peut plus attendre. On décide de laisser les résistants de Paris se libérer tout seuls et d'envoyer à leur aide un régiment français, commandé par le général Leclerc.

Alors que les Allemands sont encore là, la Résistance prend l'immeuble où se trouvaient les journaux de la collaboration. La place est tout de suite occupée par les trois journaux reconnus par la Résistance, dont *Combat*... C'est la fièvre. Pia et tous ceux qui le peuvent sont revenus, car si au journal on participe à la Libération, on est conscient qu'on prépare la suite, la nouvelle France.

Le général Leclerc entre dans Paris libéré le 25 août 1944. Dans l'éditorial* du 24 août, écrit par Camus, on lit : « Paris fait feu de toutes ses balles* dans la nuit d'août [...]. Le temps témoignera que les hommes de France ne

Dans les locaux de *Combat*, à la Libération. On reconnaît André Malraux, en uniforme, à droite.

voulaient pas tuer et qu'ils sont entrés les mains pures dans une guerre qu'ils n'avaient pas choisie [...]. Oui, leurs raisons sont immenses. Elles ont les dimensions de l'espoir et la profondeur de la révolte... »

La guerre est finie, il est temps de féliciter les héros et de revoir ceux dont on était séparé. André Malraux, colonel de l'armée de libération du général de Gaulle, vient à *Combat* rencontrer les journalistes. Une photo le montre en compagnie de Camus et d'autres. Malraux est en uniforme ; Camus, grand et maigre, en bras de chemise, l'écoute.

À la fin d'octobre 1944, Francine Camus arrive en France. Il y a fête dans l'appartement des Camus, rue Vaneau.

CHAPITRE 6

LE TEMPS DES JUSTES

L'APRÈS-GUERRE

Après la Libération vient le temps de la justice. Camus est de ceux qui réclament que l'on punisse les collaborateurs. Mais rapidement son dégoût de la peine de mort est le plus fort et il s'oppose, entre autres, à l'exécution de Robert Brasillach, romancier et journaliste collaborateur, qui avait été un de ses ennemis.

Que dire de Camus en cette période de l'après-guerre ? C'est un journaliste connu et respecté, un auteur prestigieux, auprès des jeunes surtout, pour qui *l'Étranger* est le roman de leur temps. On joue ses pièces à Paris ; à cette époque c'est *Caligula* qui est représenté, dont la vedette est le jeune premier Gérard Philipe. Et puis Camus est l'ami de Sartre et de Simone de Beauvoir, et il est associé dans l'esprit du public à ces philosophes existentialistes, même s'il ne le veut pas.

Mais Camus est aussi un Algérois et il sait de quoi il parle quand il parle de son pays. La question de l'Algérie n'est pas encore présente à l'esprit des Français de la métropole*, mais lui la sent venir. En mai 1945, il se rend à Alger pour revoir son pays, sa mère et ses vieux amis. Une fois de plus, il fait un reportage sur la misère des Arabes et leur état d'esprit. Ces articles (*Chroniques algériennes*), publiés dans *Combat*, font maintenant partie d'*Actuelles III*. Il écrit déjà que les Arabes, observant les changements dans le monde, ne veulent plus rester français, et que la France pourra garder l'Algérie uniquement si elle fait preuve de justice envers eux.

NEW YORK

En mars 1946, Camus part pour New York où il a été invité pour une tournée de conférences. On voit en lui l'ancien résistant et l'intellectuel de la France d'alors. Il est content de partir, de quitter un moment ses responsabilités et d'avoir une excuse pour ne pas écrire. *La Peste* avance difficilement, « elle me tuera », dit-il aux Gallimard.

Il aime New York : « J'ai aimé New York, de ce puissant amour qui vous laisse parfois plein d'incertitudes [1] et de détestation : il arrive qu'on ait besoin d'exil » *(Pluies de New York)*. Le soir, il se promène interminablement dans les quartiers populaires. On l'a accueilli avec une certaine curiosité. Un journaliste parle du visage de Camus « plus espagnol que français ». Il est photographié pour la couverture de *Vogue* et on lui trouve un air de Humphrey Bogart. Dans ses conférences il parle plus de morale que de littérature. Il dit qu'il faut se révolter contre la violence de l'homme envers l'homme. La révolte n'a pas besoin d'être romantique ou marxiste, elle peut être modeste comme celle du héros de *l'Étranger* qui refuse de mentir et dit simplement ce qu'il ressent. Devant une assemblée d'étudiants il s'étonne de leur inertie [2], le monde ne peut être sauvé que si cette génération reste active.

DEVENIR CAMUS

Sur le bateau du retour il pense à son œuvre, à ce qu'il a encore à dire, au peu de temps que contient une vie. Et il perd son temps « en conversations vaines [3] ou en flâneries [4] stériles. J'ai maîtrisé deux ou trois choses en moi. Mais que je suis loin de cette supériorité dont j'aurais tant besoin ».

---

1. Incertitudes : idées pas sûres.
2. Inertie : absence totale de réaction, d'activité.
3. Vaines : inutiles.
4. Flâneries : promenades.

À Paris l'attendent les honneurs, le travail, les doutes sur son art, mais aussi les enfants et Francine à loger. Deux jumeaux sont nés le 5 septembre 1945 : une fille, Catherine, et un garçon, Jean. Il n'est pas facile de trouver à se loger dans le Paris qui suit la guerre. Ce sont les Gallimard qui vont les aider. Ils ont un local rue Séguier que l'on peut transformer en appartement. Les plafonds sont très hauts, les fenêtres trop grandes, il y a plein de courants d'air. C'est dans le quartier de Saint-Germain-des-Prés et de sa vie littéraire et nocturne. Les Camus vont habiter là quatre ans.

Fin 1946, Camus attache beaucoup d'importance à une série d'articles qu'il publie dans *Combat : Ni victimes ni bourreaux*, et dont le premier paraît à la mi-novembre. Ils sont intéressants car ils montrent son opposition au stalinisme et à sa violence. Selon la doctrine communiste, on doit établir le communisme par tous les moyens. Camus est de plus en plus malheureux face à la violence de son temps. En octobre 1946, il rencontre Arthur Koestler en compagnie de Sartre et de Simone de Beauvoir. Koestler, l'auteur du *Zéro et l'infini*, est un ferme opposant à l'Union soviétique. Il est possible que cette rencontre ait affermi Camus dans ses idées contre la violence.

Dans ces articles, Camus décrit son temps comme celui du siècle de la peur. « Nous vivons dans la terreur [...] parce que l'homme a été livré tout entier à l'histoire [...]. » Le premier problème politique d'aujourd'hui est de refuser un monde « où le meurtre est légitimé et où la vie humaine est considéré comme futile. ». Pour nous qui lisons ces lignes aujourd'hui, Camus est étrangement actuel par sa vision d'un monde sans idéologie.

Ses amis intellectuels ne sont pas tous de son avis, en particulier Sartre, qui est resté stalinien. Camus se sent seul. Un soir de décembre, il est invité à une réunion d'écrivains d'Afrique du Nord. Il y parle du sens de la pudeur [1], de l'amitié et de la fraternité humaine des Algériens. Quand on lui demande ce que c'est que de se sentir algérien, il répond que c'est avoir horreur du métro.

La peste

Camus termine enfin son manuscrit de *la Peste* en cette fin d'année 1946. En janvier, il doit quitter l'humidité parisienne pour se soigner en montagne. Il déteste sa solitude montagnarde des Alpes du Sud, mais en profite pour travailler à la partie philosophique de son œuvre sur la révolte : *l'Homme révolté*.

De retour à Paris il travaille à son livre tout le printemps. Il faut dire qu'il se désintéresse de plus en plus de *Combat*. Les ventes du journal n'ont pas cessé de baisser, il y a une grève des imprimeurs qui n'arrange rien. Le journal est finalement racheté par son ancien directeur, Claude Bourdet. Camus se retire, déçu de n'avoir pas été capable de faire de *Combat* le journal libre qu'il voulait. Il ne reverra plus Pascal Pia qui désormais travaille pour un journal gaulliste*.

Le 10 juin 1947, *la Peste* sort chez Gallimard. C'est un grand succès. En septembre, il écrit à Michel et Jeanine Gallimard : « *La Peste* en est à quatre-vingt-seize mille [exemplaires]. Elle a fait plus de victimes que je ne croyais. » Il aura mis sept ans pour l'écrire.

Ce livre est une allégorie*. Au moment où il en commençait l'écriture, Camus lisait les mythes grecs et le livre de Melville, *Moby Dick*, où la baleine représente le mal. L'histoire se passe à Oran, la ville entourée de murs. La peste commence à s'étendre et on enferme les habitants dans leur propre ville. C'est évidemment une allégorie de l'Occupation. C'est ainsi que la voient ses

1. Pudeur : discrétion.

lecteurs, qui ont besoin d'un tel livre pour comprendre et oublier les années d'occupation allemande. *La Peste* est la fable qui leur permet de prendre de la distance, de voir que cette époque fera partie de l'Histoire. Une histoire terrible où les hommes meurent comme des mouches, où l'on est en exil dans sa propre ville, où ceux qui s'aiment sont séparés. À l'intérieur de la ville, les personnages principaux luttent contre la peste, le symbole du mal, en créant une formation sanitaire [1]. C'est donc la fraternité qui sauvera les hommes, pour un temps, car la peste peut toujours revenir. Elle attend au fond de chacun de nous : « [...] il faut se surveiller sans arrêt pour ne pas être amené, dans une minute de distraction, à respirer dans la figure d'un autre et à lui coller l'infection. Ce qui est naturel, c'est le microbe, le reste, la santé, l'intégrité, la pureté, si vous voulez, c'est un effet de la volonté qui ne doit jamais s'arrêter. » C'est aussi un roman antichrétien. Alors que le prêtre de *la Peste* explique que la maladie vient de la volonté de Dieu que nous ne comprenons pas et que toute cette souffrance est pour notre bien, Rieux, le docteur, s'indigne : « Je refuserai jusqu'à la mort d'aimer cette création où des enfants sont torturés. »

AMITIÉS

Cet été de 1948, Camus s'offre un temps de repos et part en Bretagne avec Jean Grenier. Il conduit sa Citroën noire, une vieille traction. Ils vont à Saint-Brieuc voir leur ami Louis Guilloux, un autre romancier publié par Gallimard. Dans ses romans, Guilloux raconte lui aussi son enfance pauvre. Camus va également voir la tombe [2] de son père pour la première fois.

---

1. Formation sanitaire : groupe de médecins et autres responsables qui organisent la lutte contre l'épidémie.
2. Tombe : longue boîte où l'on met un mort.

Camus écrit la préface du dernier roman de Louis Guilloux, *la Maison du peuple*. Il répète qu'il faut avoir été pauvre pour pouvoir parler de la pauvreté. Il est anormal, pour lui, de constater que « presque tous les écrivains français qui prétendent aujourd'hui parler au nom du prolétariat sont nés de parents aisés ou fortunés ». C'est vrai que Sartre et ses amis de Saint-Germain-des-Prés sont de familles riches et cultivées. Camus sait qu'il y a une distance entre eux et lui, même si eux ne le savent pas. Sartre lui dira qu'il est maintenant aussi bourgeois qu'eux. Mais Camus sent qu'il y a toujours Belcourt au fond de lui et cette maison où il n'y avait pas de livres.

Les ennuis d'argent commencent à disparaître avec le succès de *la Peste*. Il voyage davantage. Il va en Algérie. Une photographie le montre avec Louis Guilloux à qui il fait visiter Tipasa. Il passe quelques semaines en Suisse chez Michel et Jeanine Gallimard où Michel soigne sa tuberculose.

Il est invité avec sa femme en Angleterre. Il passe l'été avec sa famille dans une grande maison isolée en Provence. Le poète René Char est avec lui.

Camus et Char se sont rencontrés depuis peu ; leur amitié durera jusqu'à la mort de Camus. Cet homme au corps de sportif, ancien résistant, lui fait du bien. Il a une vie intérieure solide. Il déteste la vie de Saint-Germain-des-Prés, et Camus le rencontre à un moment où lui aussi commence à être fatigué de ses soirées avec Sartre, sans trop se l'avouer encore. Cet été-là Camus travaille près de Char à sa pièce *l'État de siège*. C'est le troisième volet de sa trilogie sur la révolte, une mise en théâtre de *la Peste*, quoique l'action ne se passe pas à Oran mais en Espagne.

La pièce est jouée à Paris en octobre 1948. La mise en scène est de Jean-Louis Barrault. C'est un désastre. Les acteurs sont pourtant bons, il y a Maria Casarès, Jean-

Camus chez le poète René Char, à l'Isle-sur-la-Sorgue, en 1946.

Louis Barrault, Madeleine Renaud. Mais l'allégorie passe mal, les spectateurs s'ennuient.

L'HOMME RÉVOLTÉ

Camus travaille alors à d'autres projets. Les années passent. Dans son journal il parle de son travail qui le rend heureux quand il arrive à écrire, angoissé quand rien n'avance. Souvent il part en solitaire à la campagne pour se soigner. Il s'oblige alors à plus de discipline physique. Il prend des résolutions : « Lever tôt. Douche avant petit déjeuner. Pas de cigarettes avant midi. Obstination au travail. Elle surpasse les défaillances [1]. »

En août 1948 il part en Amérique du Sud pour une série de conférences. Pour une raison qu'il s'explique mal, il est malheureux et angoissé. Au retour il est épuisé. En fait, il a commencé une nouvelle crise de tuberculose qui l'oblige à rester deux mois au lit. Il en sort pour aller au théâtre Hébertot voir jouer sa dernière pièce, *les Justes*. Elle est bien reçue. Le sujet est le terrorisme révolutionnaire. Des terroristes russes veulent assassiner le grand-duc pour libérer leur pays du despotisme. L'étudiant Yanek doit jeter une bombe dans la voiture du grand-duc. La voiture arrive, mais juste à ce moment Yanek s'aperçoit que les enfants du grand-duc sont avec lui. Il ne jette pas la bombe. Il doit subir les reproches des autres. Peut-on tuer ou non des innocents pour la révolution ? La pièce est l'une des meilleures de Camus. On y discute beaucoup mais les personnages sont vrais, très humains dans leurs déchirements et leurs conflits intérieurs. Il y a une tension dramatique qui rend la pièce émouvante. Camus aimerait rester à Paris pour la retravailler, mais il lui faut encore une fois partir se soigner dans le Midi.

---

1. Défaillances : fautes, faiblesses.

La discipline lui réussit. Il travaille dix heures par jour, il écrit au lit, se lève pour les repas et les promenades. *L'Homme révolté* avance bien. Il est soulagé. À Paris, la famille habite maintenant dans un appartement plus grand, rue Madame, près de chez Gallimard.

Mais la tuberculose ne lâche pas si vite son malade, la convalescence doit continuer, ordonne le médecin. Et Camus, déçu de ne pouvoir rentrer à Paris, se désespère. Il est à nouveau bloqué et ne peut plus écrire. Pourtant, en juillet 1951, il donne son manuscrit à René Char, dont il veut l'opinion. Le livre sort en octobre.

Si le thème de la révolte était déjà dans *les Justes*, Camus s'en explique plus à fond dans *l'Homme révolté*. L'homme révolté se dresse contre d'autres hommes, contre ceux qui réduisent les autres en esclavage. Au nom de l'Histoire, des millions d'innocents sont tués. Pour un avenir meilleur on assassine les hommes d'aujourd'hui. Obéir à cette logique de l'Histoire est inhumain. C'est parce qu'ils ne sont pas capables d'aimer les hommes tels qu'ils sont que les révolutionnaires et autres idéalistes tuent leurs frères, prétendant agir pour le bonheur des hommes à venir. Selon Camus, on ne doit pas plus croire en l'Histoire qu'en Dieu. On ne doit jamais s'accommoder du crime. Camus prend clairement position contre la violence du stalinisme qui continue à asservir les hommes.

Toute la gauche communiste française va le critiquer. Sartre est particulièrement hostile à *l'Homme révolté*. Il accuse Camus d'avoir oublié la lutte des classes et d'inventer sa propre morale[1] : « Votre morale s'est d'abord changée en moralisme[2], aujourd'hui elle n'est plus que littérature, demain elle sera peut-être immoralité. » Il lui reproche aussi son caractère à la fois orgueilleux et vul-

---

1. Morale : ensemble de règles de vie.
2. Moralisme : doctrine de la morale.

nérable... « que vous nommez, je crois, mesure méditerranéenne ». Sartre regrette le Camus de 1945, l'auteur de *l'Étranger*. Selon lui, Meursault et Sisyphe étaient des révolutionnaires permanents. Camus les a assassinés pour une loi morale qu'il a installée en lui.

La rupture entre Sartre et Camus est donc totale et profonde. Sartre et Simone de Beauvoir ne semblent pas avoir été beaucoup attristés par cette rupture. En fait, elle était prévisible. Camus et Sartre étaient amis pendant les temps heureux de la Libération. Sartre avait beaucoup admiré *l'Étranger*, mais depuis leurs opinions s'étaient chaque année éloignées de plus en plus. Il semble que Camus ait été étonné de l'opposition de

Au théâtre Hébertot, Camus avec les comédiens de sa pièce, *les Justes*. Face à lui, Maria Casarès et Serge Reggiani.

Sartre et en ait eu beaucoup de peine. Il était sans doute aussi choqué de voir qu'on lui reprochait sa personnalité méditerranéenne. Dans son journal, on peut lire un passage qui est sans doute une allusion à la rupture avec Sartre : « Tous et toutes, contre moi, pour me détruire [1], réclamant leur part sans répit [2], sans jamais, jamais me tendre la main, venir à mon secours, m'aimer enfin pour ce que je suis et afin que je reste ce que je suis. Ils estiment mon énergie sans limite et je devrais la leur distribuer et les faire vivre - mais j'ai mis toutes mes forces dans l'exténuante passion de créer et pour le reste je suis le plus démuni [3] et le plus nécessiteux [4] des êtres. »

Jonas

Dans les livres suivants, *la Chute* et *Jonas*, on peut voir, déguisé sous la forme romanesque, ce que Camus ressent. Alors que sort *l'Homme révolté*, Camus commence à écrire une série de nouvelles qui deviendront *l'Exil et le Royaume*. *Jonas* est l'une d'elles. C'est l'histoire d'un peintre qui, à trente-cinq ans, a déjà réussi. Son succès l'empêche de trouver le temps de travailler. On lui écrit, on vient le voir, ses disciples lui demandent conseil, il est invité partout. Il sent que ce public lui prend son énergie et lui vole le silence intérieur dont il a besoin pour peindre. Finalement, il se réfugie dans une pièce de son appartement mais ne fait que penser à la peinture au lieu de travailler. Son ami ne trouve dans cette pièce qu'une toile [5] blanche où est écrit un seul mot, « [...] dont on ne savait pas s'il fallait lire *solitaire* [6] ou *solidaire* [7] ».

---

1. Détruire : démolir, abattre, défaire.
2. Répit : arrêt.
3. Démuni : sans défense.
4. Nécessiteux : qui a besoin des autres.
5. Toile : tissu tendu sur lequel le peintre travaille.
6. Solitaire : seul.
7. Solidaire : qui aide les autres.

C'est vrai que Camus est sans cesse sollicité pour quelque cause humanitaire. Il essaie de ne pas toujours dire oui et certains trouvent qu'il est moins disponible qu'avant. Il s'en défend, il veut se préserver pour écrire. Pourtant il y a une cause pour laquelle il ne refuse jamais son aide, c'est celle des républicains espagnols soumis à la violence de la dictature de Franco.

La quarantaine

Après sa rupture avec Sartre, Camus se tourne vers d'autres amis : René Char, Michel Gallimard, et les amis d'Afrique du Nord. Il essaie d'accorder sa vie avec ce qu'il aime. Il voyage en Algérie pour voir sa mère et, retrouvant le même plaisir qu'autrefois à visiter Tipasa, il rêve de revenir y vivre un jour.

À Paris, il va voir des matches de football avec quelques vieux copains : « Les matches du dimanche dans un stade plein à craquer et le théâtre que j'ai aimé avec une passion sans égale sont les seuls endroits au monde où je me sente innocent. »

Pour échapper à l'intellectualisme parisien, il a envie de revenir à ses bonheurs de jeunesse. Comme autrefois à Alger. Il veut son propre théâtre et sa troupe permanente, il semble que cela soit possible. L'été 1953, il dirige le festival d'art dramatique d'Angers.

Le 14 juillet, des ouvriers musulmans manifestent à Paris. La police intervient très brutalement. Il y a sept morts du côté des musulmans et des blessés de part et d'autre. Camus adresse une lettre au journal *le Monde* dans laquelle il proteste contre la violence policière, il demande qui a autorisé les policiers à tirer sur les Algériens, qui au gouvernement poursuit « cette très ancienne conspiration du silence et de la cruauté qui déracine [1] les travailleurs algériens, les fait vivre misé-

---

1. Déraciner : enlever de chez eux.

Camus anime une réunion avec les républicains espagnols, en juillet 1951.

Au festival d'art dramatique d'Angers, au mois de juin 1953.

rablement dans des taudis[1] et les désespère jusqu'à la violence pour les tuer à l'occasion».

À son quarantième anniversaire, le 3 novembre 1953, Camus est un homme célèbre mais inquiet. Il a de plus en plus de difficultés à écrire. Et puis sa femme est malade et il doit s'en occuper. Il reste souvent auprès d'elle, impuissant[2] à l'aider.

Un an plus tard, on le retrouve en train de travailler à l'adaptation pour le théâtre du roman de Dostoïevski, *les Possédés*. Ce travail va lui prendre six ans, au cours desquels il publie d'autres livres.

Au printemps 1954, il publie une œuvre étrangement lyrique et éloignée de l'état d'esprit dans lequel il est alors : *l'Été*. La plupart des textes de ce recueil de nouvelles ont été écrits bien avant. C'est une œuvre d'Algérie et de lumière, comme ses premiers écrits.

L'une de ces nouvelles, *l'Énigme*, est plus récente. Utilisant le «je», il parle d'un écrivain qui serait le prophète de l'absurde et ne pourrait se débarrasser du jugement que les autres portent sur lui, même s'il a changé depuis. Pour lui, il n'est pas nihiliste[3] mais reste fidèle à la lumière où il est né, où «des hommes ont appris à saluer la vie jusque dans la souffrance».

La publication de cette œuvre qui est un retour aux sources renforce sa décision d'écrire le nouveau livre qu'il a en tête et qu'il appelle *le Premier Homme*. Ce serait une œuvre d'imagination qui parlerait d'un jeune homme qui grandit en Algérie.

Pendant que ce projet prend forme dans sa tête, il continue à écrire des nouvelles. Ainsi, en octobre 1954, invité aux Pays-Bas, il n'y reste que quelques jours, mais

1. Taudis : logements très pauvres.
2. Impuissant : pas capable.
3. Nihiliste : personne qui adopte le nihilisme, qui nie toute croyance et toute hiérarchie des valeurs.

ce pays lui donne l'atmosphère de *la Chute*. Ce ne devait être qu'une nouvelle, mais Camus est inspiré et écrit assez rapidement : *la Chute* devient un roman.

D'autres voyages qu'il fait à cette époque l'aident à sortir de ses difficultés. Il va en Italie et en Algérie, et puis il est invité en Grèce - cela fait bientôt quinze ans qu'il avait décidé d'y aller. Tout lui plaît, il s'y sent heureux. À son retour, sa femme va mieux. Camus retrouve le goût du travail.

L'EXPRESS

Au retour de Grèce, en mai 1955, il accepte de collaborer à un nouveau journal : *l'Express*. Il écrit une série d'articles sur la crise algérienne. Il soutient Mendès France. Homme politique de gauche, libéral et honnête, Mendès France est pour Camus le seul homme politique français qui soit capable de résoudre le problème en Afrique du Nord. Il y a plus d'un million et demi de Français en Algérie, la majorité sont des gens simples qui vivent depuis un siècle dans ce pays qui est devenu le leur. Pour Camus, les Arabes et les Français d'Algérie « sont condamnés à vivre ensemble » et l'on doit trouver une solution. Maintenant que les violences ont commencé il faut les arrêter de part et d'autre : « J'ai mal à l'Algérie comme d'autres ont mal aux poumons », écrit-il. Il envisage une conférence entre la France, les Français d'Algérie et les musulmans, où l'on chercherait une solution qui respecterait les droits des musulmans et des Français d'Algérie. Mais Mendès France n'est pas au gouvernement, on parle de plus en plus d'indépendance algérienne et Camus en est malheureux.

Le 22 janvier 1956, il retourne à Alger pour intervenir directement. Il doit parler à une réunion organisée par ses amis européens libéraux et par des musulmans modérés. Mais en fait Camus ignore que les musulmans présents sont membres du FLN, le mouvement de libération nationale algérien qui organise des actions terroristes en Algérie. La foule est nombreuse pour entendre Camus, la salle est pleine, et des milliers de musulmans et de colons français sont à l'extérieur. La situation est tendue, on entend des cris hostiles : « Camus au poteau [1]. » Il lit son discours ; il veut une trêve* civile ; dans les deux camps on doit arrêter la violence contre la population.

Mais il est trop tard. La violence en Algérie ne s'arrêtera plus qu'avec l'indépendance et le départ des Français. Camus se tait. Il n'écrit plus pour *l'Express*.

La chute

En mai 1956, Gallimard publie *la Chute*. Amis et ennemis attendaient ce roman de Camus avec une certaine curiosité. Le livre touche beaucoup ses lecteurs. Camus semble revenir aux doutes d'avant *l'Homme révolté*. C'est un des livres les plus personnels de Camus, mais peu de gens le savent. Le succès est immédiat, un mois après sa sortie on en vend encore mille exemplaires par jour.

Le livre, dont l'action se passe à Amsterdam, est considéré par certains comme un autoportrait. Dans un bar d'Amsterdam, le héros, Jean-Baptiste Clamence, parle à un voyageur de passage. Clamence est avocat mais se dit juge-pénitent. Il a un secret : il n'a pas sauvé une femme qui se noyait [1]. Comme chacun de nous il est donc coupable, mais comme chacun de nous il « éprouve le besoin d'être innocent à tout prix », alors il s'accuse avant qu'on ne l'accuse. Clamence est une sorte de héros de notre temps qui a les défauts de sa génération. « Ce que l'homme supporte le plus difficilement c'est d'être jugé », constate-t-il.

Sur le plan artistique, l'année 1956 semble être propice pour Camus. Après le succès de *la Chute*, il met en

---

1. Au poteau : à la mort.
2. Se noyer : mourir dans l'eau.

scène *Requiem pour une nonne* de Faulkner. La pièce est très bien reçue par le public et la critique.

Les mois qui suivent le voient travailler à nouveau pour le festival de théâtre d'Angers. Il écrit un essai contre la peine de mort, publié avec un texte d'Arthur Koestler. Il écrit pour défendre les écrivains hongrois lors de l'insurrection contre les Russes.

Depuis quelque temps, Camus travaille dans un endroit calme. Il a loué un petit appartement pour lui seul dans le même immeuble que René Char, à cinq minutes de chez Gallimard où il est toujours employé. Pourtant il a de nouveau des soucis [1], il est préoccupé par la santé de sa fille.

1. Soucis : préoccupations.

CHAPITRE 7
LE PRIX NOBEL

« SANS VOUS... »

Le soir du 16 octobre 1957, Albert Camus est au restaurant avec une amie quand un jeune chasseur [1] vient lui annoncer qu'il a reçu le prix Nobel de littérature. Il est bouleversé [2] et ne cesse de répéter que le prix aurait dû être attribué à Malraux. Il se rend compte aussi que le Nobel est d'habitude donné à un homme déjà vieux, que c'est la récompense d'une œuvre terminée. Lui est encore jeune, il n'y a eu qu'un prix Nobel de littérature plus jeune que lui. Camus sait aussi que le succès venant trop tôt peut le paralyser. Ses ennemis ne se gênent pas pour dire qu'il est fini.

Avec le recul du temps on comprend facilement pourquoi le Nobel a été attribué à Camus. Pour les générations à venir qui ignoreront tout de sa vie et de ses actions pour la défense de ses idéaux, Camus restera l'auteur de *l'Étranger* et de *la Peste*.

L'ambassadeur de Suède se rend chez Gallimard pour annoncer officiellement à Camus qu'on lui offre le Nobel pour son « importante œuvre littéraire qui met en lumière les problèmes se posant de nos jours à la conscience humaine ». L'ambassadeur ajoute : « [...] vous êtes un homme de la Résistance, un homme révolté qui a su donner un sens à l'absurde, et soutenir, au fond de l'abîme [3] la nécessité de l'espoir, même s'il s'agit d'un espoir difficile, en rendant une place à la création, à l'action, à la noblesse humaine dans ce monde insensé. »

1. Chasseur : ici, garçon qui sert dans un hôtel.
2. Bouleversé : plein de sentiments profonds.
3. Abîme : un trou profond, un désespoir (au sens figuré).

Camus accepte le Nobel, remerciant l'Académie royale de Suède d'avoir distinguer son pays « et ensuite un Français d'Algérie ».

Il part en Suède le 7 décembre 1957 avec sa femme et les Gallimard. Le discours de Camus est dédié à Louis Germain, son instituteur de Belcourt. Il vient de lui écrire ces mots : « [...] Ma première pensée, après ma mère, a été pour vous. Sans vous, sans cette main affectueuse [1] que vous avez tendue au petit enfant que j'étais, sans votre enseignement, et votre exemple, rien de tout cela ne serait arrivé... »

« Je défendrai ma mère »

Son discours d'acceptation du prix Nobel est court. Il y parle de l'art de l'écrivain. Écrire est un honneur. Il décrit sa génération, née avec la Première Guerre mondiale, elle en a connu une deuxième et voit maintenant un monde menacé de destruction nucléaire. Le rôle de l'écrivain est de refuser le nihilisme et de servir la paix. Il lui faut chercher la vérité. « [...] Je n'ai jamais pu renoncer [2] à la lumière, au bonheur d'être, à la vie libre où j'ai grandi. »

Le lendemain de la cérémonie, Camus s'adresse à des étudiants. La salle est tendue. Un jeune musulman lui pose des questions au sujet de l'Algérie d'une manière agressive. La réponse de Camus est restée célèbre : « J'ai toujours condamné la terreur, je dois condamner aussi un terrorisme qui s'exerce aveuglément, dans les rues d'Alger par exemple, et qui un jour peut frapper ma mère ou ma famille. Je crois à la justice, mais je défendrai ma mère avant la justice. » Comme les Camus retournent à leur hôtel, Francine Camus se met à pleurer.

---

1. Affectueuse : bonne.
2. Renoncer : abandonner, laisser.

Albert Camus, prix Nobel de littérature, félicité par le roi de Suède, le 12 décembre 1957.

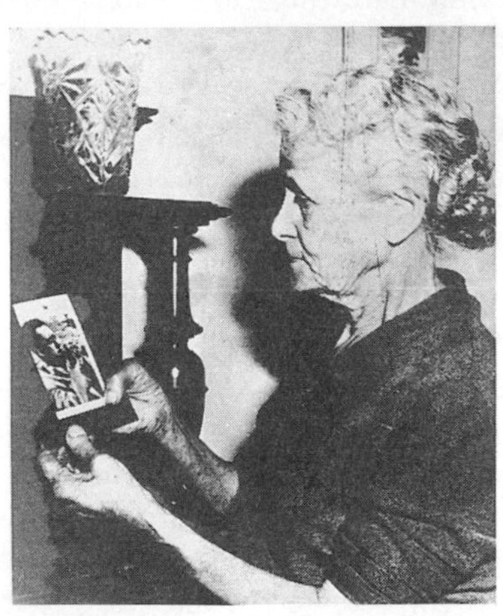

« Je crois à la justice, mais je défendrai ma mère avant la justice. »

Le problème algérien tourmente Camus, mais devant la violence il se sent inutile. Il en parle parfois en disant que pour le moment il ne peut rien dire et qu'il n'interviendra que lorsqu'il pourra le faire utilement. Ses *Actuelles III* sont publiées par Gallimard en juin 1958, ce sont ses articles de *l'Express* sur l'Algérie.

Retours

Camus a accepté la réimpression de *l'Envers et l'Endroit* et il y ajoute une préface. Celle-ci est un écrit important si l'on veut comprendre la pensée de Camus. Il analyse le chemin parcouru depuis Belcourt et explique sa personnalité par ses origines. Son goût du bonheur lui vient de là. Il est intéressant de noter qu'à cette époque Camus veut continuer à travailler à son manuscrit *le Premier Homme,* qui est aussi un retour à son enfance.

Après le bouleversement du Nobel il se sent très fatigué. Il part pour un long voyage en bateau, en Grèce, avec les Gallimard. Au retour, Camus est à nouveau capable d'écrire. Il cherche à acheter une propriété dans le Midi. Lui et sa femme se décident pour une maison dans le village provençal de Lourmarin qu'avait habité Jean Grenier.

Début 1959, *les Possédés* sont enfin joués sur scène. La pièce est longue et aura coûté beaucoup d'efforts à Camus et aux acteurs. Elle est bien reçue mais ne reste pas longtemps à l'affiche.

En mai, Camus passe à la télévision. Il n'y est pas très à l'aise et a écrit ses réponses à l'avance. Il s'explique sur son amour du théâtre : « Une scène de théâtre est un des lieux du monde où je suis heureux. » Il ne s'y sent pas seul comme pendant son travail d'écrivain. Mais il conclut que son « œuvre véritable » est d'écrire des livres dans la solitude.

Le village provençal de Lourmarin, où les Camus ont leur maison.

Michel et Jeanine Gallimard, les amis de toujours.

Il passe l'été à Lourmarin avec sa famille. Il partage son temps entre l'aménagement de sa maison et l'écriture. Il parle de ses projets : il est question que Malraux lui trouve un théâtre, il est possible aussi que l'on fasse un film à partir de son roman *la Chute*. Il travaille sérieusement au *Premier Homme*. Il lui semble que son œuvre ne fait que commencer. Lourmarin lui plaît. Il a ses habitudes au café où il va déjeuner quand sa famille n'est pas là. Il est devenu un supporter de l'équipe de football du village.

Pour les vacances de Noël, Francine et les jumeaux l'ont rejoint à Lourmarin. Les Gallimard viennent passer le jour de l'an 1960 avec eux. Le samedi 2 janvier, Francine et les jumeaux rentrent à Paris en train. Camus suit plus tard avec les Gallimard, en voiture. Ils veulent prendre deux jours pour remonter vers Paris. Le dimanche 3 janvier, Camus et ses amis s'offrent un bon repas dans un hôtel-restaurant, près de Mâcon, où ils passent la nuit. Le lundi 4, c'est la rentrée sur Paris. Après Sens, la nationale traverse une série de villages. La route est bordée d'arbres. Michel Gallimard conduit. La chaussée [1] est glissante... et c'est l'accident. La voiture se jette contre un arbre. Mortellement blessé, Michel Gallimard est conduit à l'hôpital. Camus a été tué sur le coup.

Nous ne dirons pas que cette mort est absurde... Albert Camus avait fini par détester ce mot.

---

1. Chaussée : le sol de la route.

Mots et expressions

Littérature, journalisme, philosophie

Allégorie, *f.* : récit à partir d'images, de symboles.

Conte, *m.* : histoire d'aventures imaginaires.

Dédier : offrir à ; à l'attention d'une personne en particulier.

Dramaturge , *m.* : écrivain de théâtre.

Ébauche, *f.* : première forme donnée à une œuvre.

Éditeur, *m.* : personne qui fait un livre écrit par un écrivain.

Édition (maison d'), *f.* : entreprise où travaillent les éditeurs.

Éditorial, *m.* : article de journal exprimant les idées du journal.

Essai, *m.* : livre où l'on expose des idées.

Exemplaire, *m.* : un livre d'une série de livres.

Existentialiste, *m.* : partisan de l'existentialisme = mouvement de pensée qui défend l'idée de l'homme, de l'individu, défini comme seul projet.

Fait divers, *m.* : événement d'importance secondaire, qu'on lit dans les journaux.

Fascisme, *m.* : le fascisme comme le nazisme sont deux courants de pensée opposés à la démocratie.

Générale, *f.* : dernière répétition d'ensemble d'une pièce de théâtre devant un public d'invités.

Hymne, *m.* : compliment, éloge.

Imprimeur, *m.* : celui qui fabrique un livre.

Lyrique : qui exprime des sentiments personnels avec émotion.

Manifeste, *m.* : écrit par lequel on expose ses idées, ses buts.

Manuscrit, *m.* : texte original écrit à la main ou dactylographié.

Minotaure, *m.* : dans l'Antiquité grecque, monstre moitié homme, moitié animal qui se nourrissait d'êtres humains.

Mythe, *m.* : histoire ou personne légendaire.

Nouvelle, *f.* : histoire courte.

Œuvre, *f.* : ici, l'ensemble d'un travail d'écrivain (on le dit aussi pour un peintre, un sculpteur, etc.).

Personnage, *m.* : personne qui existe seulement dans un livre.

Publier : mettre un livre en vente.

Quotidien, *m.* : journal qui paraît tous les jours.

Récit, *m.* : histoire courte.

Revue, *f.* : publication périodique (mensuelle, trimestrielle, annuelle).

Roman, *m.* : histoire que l'on écrit.

Romancé : histoire vraie que l'on change un peu en l'écrivant.

Typographe, *m.* : ouvrier qui mettait en place le texte de chaque page d'un livre avant qu'on l'imprime.

L'Algérie

Alger : capitale de l'Algérie.

Algérie, *f.* : région d'Afrique du Nord, colonisée à partir de 1830, elle devint indépendante en 1962. La guerre d'indépendance a commencé en 1954.

Algérien, *m.* : habitant d'Algérie.

Algérois, *m.* : habitant d'Alger.

Arabe, *m.* : habitant de la région de la Méditerranée, qui parle arabe.

Casbah, *f.* : quartier ancien des villes d'Afrique du Nord.

Chéchia, *f.* : petit bonnet rond en laine que l'on porte sur la tête, dans les pays arabes.

Colon, *m.* : celui qui habite une colonie.

Colonie, *f.* : pays dont les terres ont été prises par des étrangers qui en ont fait leur nouvelle patrie.

Colonialisme, *m.* : politique d'exploitation des colonies.

Colonisation, *f.* : action de coloniser.

Émancipation, *f.* : désir d'indépendance.

Méditerranéen(ne) : tout ce qui touche la région de la Méditerranée ; habitant de cette région.

Métropole, *f.* : pour un Algérien, la France.

Musulman, *m.* : qui appartient à la religion de l'islam.

Pacification, *f.* : action de rétablir la paix dans une région.

La guerre

Alliés, *m.* : pays qui étaient unis ensemble, contre les Allemands, pendant la Seconde Guerre mondiale.

Balle, *f.* : projectile qui sort d'un fusil, d'un revolver.

Bombarder : envoyer des bombes qui font tomber des bâtiments, qui tuent des gens.

Capituler : rendre les armes, arrêter la guerre.

Collaborateur, *m.* : personne qui a accepté que les Allemands occupent la France, et les a aidés.

Collaboration, *f.* : c'est l'action des collaborateurs pour aider les Allemands.

Couvre-feu, *m.* : interdiction de sortir après une certaine heure.

Croix de guerre, *f.* : décoration pour un soldat.

Débarquement, *m.* : arrivée des bateaux américains, anglais et alliés, en France, en Normandie, pour lutter contre les Allemands.

Gaulliste : personne qui soutient le général de Gaulle.

Libération, *f.* : arrivée des soldats alliés qui chassent les Allemands.

Médaille militaire, *f.* : décoration pour un soldat.

Obus, *m.* : projectile qui sort d'un canon, et qui tue en éclatant, en explosant.

Régiment, *m.* : troupe de soldats.

Résistance, *f.* : nom donné à l'action menée contre les Allemands par des civils.

Résistant, *m.* : personne qui fait partie de la Résistance.

Tranchée, *f.* : pendant la Première Guerre mondiale, trou en longueur où se cachaient les soldats pour tirer.

Trêve, *f.* : arrêt des combats.

Uniforme, *m.* : vêtement des soldats.

Zouaves, *m. pl.* : soldats d'un corps d'infanterie créé en Algérie en 1830.

Pour aller plus loin...

Les principaux titres de l'œuvre d'Albert Camus : *l'Envers et l'Endroit* (essai), 1937, *Noces* (essai), 1938, *l'Étranger* (roman), 1942, *le Mythe de Sisyphe* (essai), 1942, *le Malentendu* suivi de *Caligula* (théâtre), 1944, *Lettres à un ami allemand*, 1945, *la Peste* (récit), 1947, *l'État de siège* (théâtre), 1948, *Actuelles I*, 1950, *Actuelles II*, 1953, *Actuelles III*, 1958, *les Justes* (théâtre), 1950, *l'Homme révolté* (essai), 1951, *l'Été* (essai), 1954, *la Chute* (récit), 1956, *l'Exil et le Royaume* (nouvelles), 1957, *Discours de Suède*, 1958, *Carnets I*, 1962, *Carnets II*, 1964, *Carnets III*, 1989, *Journaux de voyage*, 1978, *Correspondance avec Jean Grenier*, 1981, *la Mort heureuse* (roman), 1971, *le Premier Homme*, 1994.

Ces ouvrages sont parus aux éditions Gallimard.

COLLECTION
LECTURE FACILE

TITRES PARUS OU À PARAÎTRE

Série Vivre en français

Niveau 1 : La Cuisine française* ; Le Tour de France*.

Niveau 2 : La Grande Histoire de la petite 2 CV* ; La chanson française** ; Paris** ; La Provence*** ; L'Auvergne*** ; L'Alsace.

Niveau 3 : Abbayes et cathédrales de France** ; Versailles sous Louis XIV*** ; La Vie politique française*** ; Le Cinéma français***.

Série Grandes œuvres

Niveau 1 : Carmen*, *P. Mérimée* ; Contes de Perrault* ; Aladin ; Le Roman de Renart ; Les Trois Mousquetaires (T. 1) et (T. 2), *A. Dumas* ; Les Misérables (T. 1) et (T. 2), *V. Hugo* ; Le Tour du Monde en 80 jours, *J. Verne.*

Niveau 2 : Lettres de mon moulin*, *A. Daudet* ; Le Comte de Monte-Cristo (T. 1) et (T. 2)*, *A. Dumas* ; Les Aventures d'Arsène Lupin*, *M. Leblanc* ; Poil de Carotte**, *J. Renard* ; Notre-Dame de Paris (T. 1) et (T. 2)**, *V. Hugo* ; Les Misérables (T. 3), *V. Hugo* ; Germinal**, *É. Zola* ; Tristan et Iseult*** ; Cyrano de Bergerac***, *E. Rostand* ; Sans Famille, *H. Malot* ; Le Petit Chose, *A. Daudet* ; Cinq Contes, *G. de Maupassant ;* Vingt mille lieues sous les mers, *J. Verne.*

Niveau 3 : Tartuffe*, *Molière* ; Au Bonheur de Dames*, *É. Zola* ; Bel-Ami**, *G. de Maupassant ;* Maigret tend un piège, *G. Simenon* ; La tête d'un homme, *G. Simenon ;* L'Affaire Saint-Fiacre, *G. Simenon.*

Série Portraits

Niveau 1 : Victor Hugo** ; Alain Prost***.

Niveau 2 : Colette*, Les Navigateurs français**.

Niveau 3 : Coco Chanel** ; Gérard Depardieu* ; Albert Camus***.

Trois dossiers de l'enseignant sont parus.

* Titres exploités dans le dossier 1.
** Titres exploités dans le dossier 2.
*** Titres exploités dans le dossier 3.

Imprimé en France par I.M.E. - 25110 Baume-les-Dames
Dépôt légal n° 5091-10/1997
Collection n° 04 - Edition n° 02
15/5002/9